JN254017

もしも学校に行けたら

アフガニスタンの少女・マリアムの物語

後藤健二・著

汐文社
ちょう ぶん しゃ

もくじ

1

アフガニスタンへの道

わたしは、パキスタン・ペシャワールの警察署の一室にいました。

「それで、お前はなぜそんなに急いでアフガニスタンに行きたいのかね？」

りっぱな口ひげをたくわえた警察署長はいすにふんぞりかえったまま、たずねてきました。

「戦争が終わったので、一般市民の暮らしや援助活動のようすを取材するためです。」

「陸路を車で行くのか？　一人でか？」

「ええ、わたしたちを乗せてくれる飛行機はまだ飛んでいないでしょう。」

（知っているくせに……）

とわたしは日本語で小声でつぶやきました。

署長は、わたしが出した〝トライバル・エリア〟入域申請（にゅういきしんせい）の書類を目の前において、ボールペンの背中（せなか）で机（つくえ）をコツッ、コツッとたたいていました。

「まあ、この国を出ていくのは構（かま）わんが、カブールまで行けるかはわからんぞ。」

「結構（けっこう）です。許可（きょか）はいただけるんですか？　いただけないんですか？」

わたしは、少しイライラした口調で聞きました。

署長は、大きな丸いハンコに青いインクをつけて、申請書にバン！とたたきつけるように押（お）しました。そして、

「幸運を」

と言って、書類を渡（わた）してくれました。

二〇〇一年十一月十九日のことでした。

アフガニスタンとパキスタンの国境地帯〝トライバル・エリア〟は、とても特別な地域です。大昔からイスラム教と伝統が重んじられてきました。主に交易がおこなわれ、住民はほぼ自由にパキスタン側とアフガニスタン側を行き来していました。トライバル・エリアは、どちらの国の政府にも、あまり縛られることなく暮らしてきた人たちの土地なのです。パキスタンに属している地域もあれば、アフガニスタンに属しているところもあります。

わたしは、このトライバル・エリアを通り、トゥルカムと呼ばれる国境の村を目指していました。

車は、黄色みがかった灰色の岩盤が切り立つ山と、白い砂利と砂ぼこりに覆い尽くされた山道を、猛スピードで走っていました。山道は右に登ったと思ったら、すぐ左に折れて少し下り、また、右曲がりカーブを上って行くと、ヘアピンのように左に曲がって少し下って行く。そんな走りを何度もくり返しています。

わたしの車以外はほとんど走っていませんが、二台か三台、ペシャワールに向か

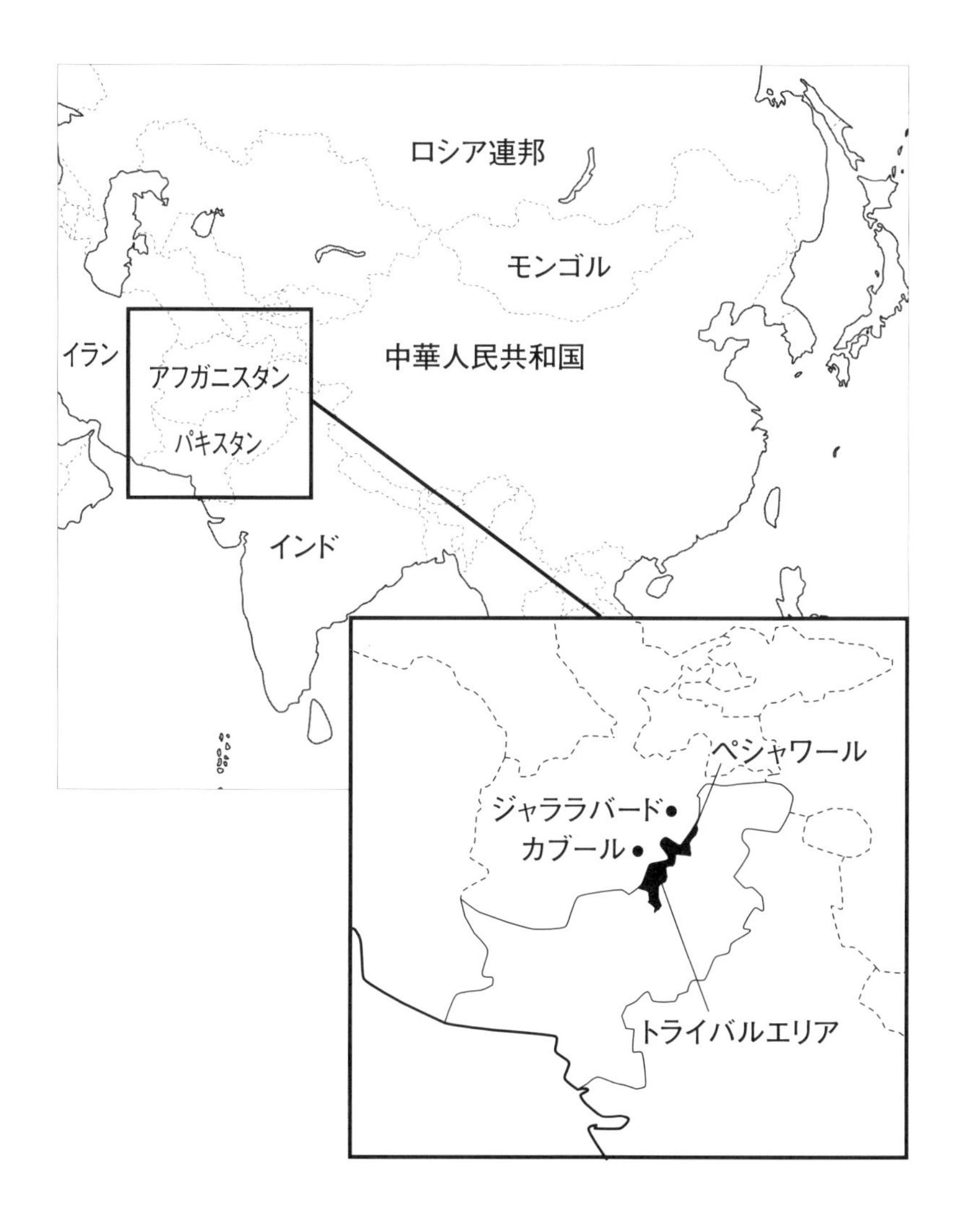
ロシア連邦
モンゴル
イラン
アフガニスタン
中華人民共和国
パキスタン
インド
ペシャワール
ジャララバード
カブール
トライバルエリア

う車とすれちがいました。車体の四倍はある荷物を積みこんで、大きく右に左に車体を傾けながら走る小型のトラックでした。道のまわりには、牛の頭蓋骨らしき骨が眼につきましたが、人影はほとんどありません。

ふりそそぐ強い陽射しを避けるのに適当な木など一本もなく、日かげがあるのは、唯一、わたしたちの車の中だけでした。それでも、山はだを右へ左へ走り登って行く間は、鋭い陽射しが窓から容赦なく差しこみます。

とても暑かったし、まぶしかったのですが、わたしはいつものようにサングラスをしている気には、なれませんでした。激しく感動していたのです。

（あぁ、この日をどんなに待ち焦がれたことか！　アフガニスタンへ続く大地！この風景を全部目に焼き付けておきたい！）

わたしは、窓の外の風景にすっかり目を奪われていました。

その日まで、わたしはアフガニスタンの隣国パキスタンで、戦争から逃れてきた人たち（難民）の取材を三か月近くずっと続けていました。アフガニスタンを支配していたタリバン政府は、いつまで待っても入国ビザを出してくれなかったので、国境を越えることができないでいました。

また、戦闘が続いていたため、パキスタン政府も国境を封鎖して、人と物の行き来を厳しく制限していました。わたしはその間ずっと、アフガニスタンからパキスタンへ逃げ出してきた難民の人たちから、アフガニスタンの歴史や自然の風景、慣習や文化といったものをたくさん聞いてきました。本も何冊も読みました。なにしろまだ見たことのない国、そしてそこに住む人たち……どんな生活をしているか、想像ばかりして頭の中の風船がもうパンっと音をたてて破裂しそうなほどふくらんでいたのです。

その日は突然やってきました。

アフガニスタン国内での戦闘が終わり、タリバン政府が崩壊したのです。

（タリバンが去った！　じゃあ、もう入国ビザなど必要ないはずだ！）

パキスタンで取材を手伝ってくれていたアフガン人スタッフとその友人たち――戦争中逃げだしてきていた難民たち――は、すぐさまパキスタン政府に確認をとって、国境が開いたという情報を得ました。

「よし、明日の朝、出かけよう！」

わたしは決断して、彼らに手配を頼みました。

ちょうどイスラム教の人たちが断食をする時期〝ラマダン〟に入っていました。イスラム教の人たちは、〝ラマダン〟の間、太陽が上がっている時間帯には一切食べ物を口にしません。神様からいただいた恵み・食物に感謝するという意味もこめられているとても大切な儀式です。

わたしはドライバー兼通訳である、アフガン人スタッフのアブドゥラの家に泊めてもらっていました。朝四時、彼の家族や友人のアフガン人たちは、お祈りを捧げた後、干しブドウやレンズ豆、羊の肉の入った豪勢な炊きこみご飯と新鮮な生野菜を食べました。辺りはまだ暗く、みんな無言で食べています。戦闘は終わりましたが、無政府状態になったアフガニスタンまでの道のりでは何が起こるか、わかりません。不安な思いを抱えながら、静かな食事を終えて立ち上がると、黙々と荷物を車に積みこみました。

「グッドラック」

アブドゥラの子どもたちが手をさし出して、握手をしてくれました。そして、わたしたちは出発しました。

プロレスラーのような体格をしたアブドゥラは、上半身を少し前のめりにして、ハンドルをしっかりと握っていました。九十キロほどのスピードで左右に大きく振られる山道を進みます。ほぼ無言、バックミラーに映る彼の表情は、まったくゆるんだところがなく、その視線は行き先をまっすぐ見つめていました。

一方、助手席側の後ろ座席に腰掛けていたわたしは、うれしさで口元がゆるむの

を抑えられず、思わず、

「おっ、おおっ！」となっていました。

延々と続く岩、砂利、砂…まったく色の無い広漠とした山あい。でも、わたしは、自分の頭の中にある白い画用紙に、鮮やかな絵の具でどんどん色が塗られていくような感じが楽しくて仕方ありませんでした。流れていく風景をひたすら見つめていました。まるで白黒の映画や写真に、じわじわと色がつけられていくようでした。

（わたしの中にあったアフガニスタンという国のイメージが、生き生きと鮮やかに色づいていって、今、現実に私の目の前にある。イメージや想像でしかなかったアフガニスタンに続く大地を走り、アフガニスタンと同じ空気を吸っている！）

そんな喜びにすっかり浸っていたわたしは、この後に起こる傷ましい事件のことなど、その時はまったく考えつきもしなかったのです。

「ケンジ、ほら、ここからいい画が撮れるぜ。」

「えっ？」

山の頂上近くについたころ、硬い表情を崩さなかったドライバーのアブドゥラが言いました。前方には、山のずっとふもとにある緑色の大地が見えました。

わたしはふとアブドゥラの顔を見ました。大きめのサングラスの下には彼の懐かしさをたたえた何とも優しい眼差しがありました。

「あそこがトゥルカムだ。アフガニスタンの入り口だよ。」

「一発、撮っとこうか！」とわたしが言うと、

「ああ、でもすぐにな。長い時間の撮影は危険だから。」

あたりを見回すと、土嚢が積み上げてある塹壕やほら穴がいくつもあるのに気がつきました。いつ作られたのかはわかりませんでしたが、そうした場所に強盗や山賊が隠れて荷物を積んだトラックなどを襲うことがよくあると言います。

わたしたちの車は、山の頂上からトゥルカムまで一気に走り降りました。

道幅は狭くなっていき、やがて一本道になりました。まるで空からつり下げられたカーテンのような大きな鉄の扉の直前で、車を止めました。

トゥルカムの地面は、ちょうど玄関の扉の敷居のようでした。パキスタンとアフガニスタンを隔てる一枚の巨大な鉄の扉の敷居。敷居のこちらはパキスタン、扉を開けて敷居をまたいで入れば、アフガニスタンです。

わたしたちはパキスタンの国境警備隊の事務所で出国手続きをしました。赤茶けた大きな鉄の扉は鎖と巨大な南京錠で閉じられていましたが、その五十センチほどのすき間から、群がったアフガニスタン側の人たちがギラついた眼でこちらを見つめています。

中には、パスポートや書類をその鉄の扉のすき間から差し出して、悲鳴のような声で叫んでいる者もいます。タバコを一本差し出して、何やら国境警備隊の兵士とヒソヒソ話している者もいます。厚さ二十センチほどの鉄の扉の向こうとこっちでワイワイガヤガヤとさわいでいるのを見て、わたしは、まるでこの鉄の扉が古びた刑務所の一部に見えてきました。

わたしを通すために、国境警備隊の兵士が、巨大な南京錠を開け、鎖をはずしました。巨大な鉄の扉を開けるのかと思いきや、人一人が通れる幅しか開きませんでした。そのすき間に扉の向こうに群がっていたアフガン人たちが体をこじいれてこようとします。それを、銃を手にした兵士が蹴散らします。わたしは向こうに行くことができないまま、また鉄の扉は閉められてしまいました。

「ケンジ、ちょっとここで待ってろ！」

アブドゥラは兵士にわたしのことを説明しているようでした。しかし、兵士はノー、ノー、と首を振っています。そんなやりとりがしばらくくり返されました。わたしは、嫌な予感がしましたが、こんなところで足踏みをしているわけにはいかない、と天にも祈る思いで兵士たちの動きを注意深く見ていました。この赤茶けた巨大な鉄の扉が本当に憎々しく見えてきました。

アブドゥラは、

「ケンジ、おれらはむこうに行けない。お前は行けるが、アフガン人の行き来はまだ許されていないらしい。」

と、冷静なしっかりとした口調で言いました。

「えっ？　じゃあ、どうすればいいって言うんだい。だいたい変じゃないか？　戦闘が終わって国境封鎖も解除されたはずなのに、なんでアフガン人は自分の国にもどれないんだよ？」

「ここじゃ良くあることさ。ルールなんかない。まともな理由なんかないんだよ。とにかく、おれとはここでお別れ、車を乗り換えるってことだ。まずおれがむこう側に行って、乗り換える車とドライバーを見つけてくる。お前を安全にきちんと目的地に送り届けるヤツをな。もちろん給料の話もつけてくる。」

　そういうと、アブドゥラは鉄の扉のすき間から体をねじ入れて——彼の体格ではお腹がつっかえていささかきつそうだったけれど——向こう側に行きました。すると、今度は彼にわっと男たちが群がりました。

何分ぐらいたったか、彼は鉄の扉のすき間から半身を出して、

「ヘイ、ケンジ！　荷物をこっちに、早く！」

と呼びかけてきました。考えている時間などありませんでした。考える必要もありませんでした。わたしは大きなカメラと三脚、撮影機材や洋服の入ったスーツケースを彼に手渡しました。そして、

「タシャクル（ありがとう）！」と兵士に言って、封を切っていない赤いマルボロを投げるように渡しました。

わたしと入れ替わりに、アブドゥラはすぐに鉄の扉の向こうにもどらなくてはなりませんでした。わたしは彼と強く抱き合い、背中を二回、三回とたたきました。ほっぺたには、硬いあごひげの感触が残りました。

「じゃあな、グッドラック（幸運を）！　カブールについて、もしおれの仲間たちに会うことがあったら、『アブドゥラは元気だ』って伝えてくれよ。しばらくしたら、おれも帰るってな。」

と言って、アブドゥラはまた、でっぱったお腹をキツそうにして体をねじ入れ、赤茶びた鉄の扉の向こう側へ姿を消していきました。


新しいアフガン人のドライバーは、英語を話すことができました。車は一九八〇年代製の白いトヨタ・カローラから、グレーのカローラに変わりました。

わたしはとにかく首都カブールに向けて急いでいました。

六日前、タリバンと戦闘をくり広げてきた北部同盟軍が、アメリカ軍の支援を受けて圧倒的な軍事力でタリバン政権を崩壊させ、追い出しました。アフガニスタンで長く続いた内戦に終止符がうたれたのです。実際には、各地で小さな戦闘はまだ続いている危険な状態でしたが、取材しなければならないことが山ほどありました。

「とにかく今日中にカブールに入りたい、いや、入らなければならないんだ、飛ばしてくれ。」

とわたしは新しいドライバーに言いました。

トゥルカムのあの鉄の扉までの山道とちがい、ゆるやかな平地の中を道路が続いていました。周りの風景は、今度は砂漠のような色をした乾いた粘土質の大地が続いていました。何もない、ほこりっぽい、堅いという点では、何も変わりありませんでした。

助手席の後ろに座っていたわたしは、少し腰を上げて、体を前にずらし、スピードメーターをのぞきこみました。それは、わたしがドライバーにもっとスピードを出して急いでほしい時によくやる癖みたいなものです。すると、メーターの針が動いていません。

「スピードメーターが壊れているんだ、ハハハ、すまないな。それより、ほら、だんな、左に逃げてきた連中のキャンプがあるけど、写真撮るかい？」

ドライバーが教えてくれた時には、ちょうど真横に砂ぼこりをかぶって、地面と同じ黄土色になったボロ布のようなテントがいくつか見えました。

「おっ！」

わたしは、小さな叫び声をあげました。

さっき飛ばせと言ったばかりなのに、わたしはドライバーにスピードを少し落としてくれと頼み、カメラのスイッチを入れ、かまえてテープを回しました。まったく陽射しをさえぎるもののない中でゆっくりうごめく人たちを追いました。バケツを抱えた子どもの姿もありました。いきなり目に飛びこんできた焼け出された人たちの生活に、（ここは正真正銘のアフガニスタンだ…）と少し緊張が走りました。

「撮影するかい？」

とドライバーがわたしにたずねました。（おまえさんが見たいものや撮りたいものはすべてお見通しさ）と言いたげな口調でした。

「いや、とにかくカブールへ急ぐんだ。」

わたしは、取材をしたい気持ちを抑えて、先を急ぐことにしました。この場所を見すごしていくことに、体全体が何ともヒリヒリと痛みました。

わたしたちの車を追って、ぼろ布を身にまとい、ぼさぼさ頭をして裸足で走る子どもたち。太陽の陽射しは舞い上がる砂ぼこりを照らし、ゆらゆらと鈍く輝いていました。

砂漠の中の平坦な一本道が、突然、大きな緑におおわれた道に変わりました。あまりにも突然だったので、びっくりしてフロントガラスから上を見ると、キラキラ輝く木もれ日が、まるで大きく光る流れ星のようにスッスッと後ろに流れていくではありませんか！

「なんてきれいなんだ！　さっきまで砂漠だったじゃないか、ここは！　どうなっているんだい？」

とわたしは独りごとを叫びながら、カメラを股に挟みこんで、フロントガラス越しに木もれ日の流れる緑の回廊を、長い時間撮っていました。

「よう、ジャララバードだよ。」

ドライバーが言いました。車のスピードは五十キロほどに落ちて、通りを歩く人の姿が多く目につくようになりました。通り沿いに商店やレストランが軒を連ねています。大きい街の割には、人が少ない感じがしました。車は、街の中心部の丸いサークルを抜けていきます。

「さて、泊まるホテルは…」

と言いかけたドライバーの言葉をわたしはさえぎりました。

「いや、ジャラバードに用はない。このままカブールへ向かうんだ。」

わたしの言葉に彼は驚いた表情で答えました。

「このまま？　カブールに着く頃には日が暮れちまうぞ。戦闘が終わったすぐなんだ。街に入れるかどうかだってわからないぞ。」

「いや、一刻も早く行くんだ。」

「……イエス、サー」

ドライバーは、道路の状況をたずねるからと言って、定食屋風のあるレストランで車を止めました。わたしも車から降りて店内に入ると、店の中にいた男たちからいっせいに鋭い視線が向けられました。わたしは少しだけたじろぎましたが、右手を胸に当て、軽く腰をかがめて「サラーマレーコン（こんにちは）」と、会釈しながら彼らの間を歩き、席に着きました。

席に着くなり、店の人が紅茶の入った小さなガラスグラスとソーサーを運んできました。彼はニコッと笑い、テーブルの上に湯気の立ち上るグラスを置いて行きました。

普段わたしは、紅茶にもコーヒーにも砂糖は入れないのですが、見ず知らずの土地で、瞬き一つしない鋭い視線に囲まれながら、いちいちそんな細かいことは気にしていられません。親指と人差し指で熱いガラスのグラスを口に運んで一口。たっぷりと砂糖の入ったひどく甘い紅茶でした。でも、朝からずっと車に揺られっぱなしだったわたしの胃袋にとっては、とてもホッとする甘さと温かさでした。

店の主人や数人の男たちと話していたドライバーが帰って来て、

「二時間くらい前に、他のジャーナリストたちを乗せた車が、コンボイを組んで出発していったらしい。今からとばせば、それに追いつけるかもしれない。さあ、急ごう。」

と、せきたてました。コンボイというのは、何台かの車が固まって一列で目的地まで走って行くことです。こうした戦闘が起こるような場所では、武装グループに敵とまちがわれて攻撃されたり、ギャングや山賊に襲われたりすることがあります。安全を確保するために、一台で行動するのではなく、集団で移動することがよくあるのです。

時間は正午を回ったところでした。わたしとドライバーは店を出て、先に行ったというジャーナリストたちのコンボイを追いました。

ジャララバード郊外の検問所で、銃を持った兵士に車を止められました。彼らはタリバン政権が崩壊した後、この地域を自分たちで勝手に支配し始めた武装グループでした。わたしにとっては敵でもなんでもありませんが、らんぼうな態度が少し気になりました。何せ、銃を持っていること自体、気分の良いものではありません。

反対方向から、砂(すな)ぼこりを上げて猛(もう)スピードで走ってくる車が数台、検問所からジャララバードに向けて走っていきます。

ドライバーは窓越(まどご)しに兵士と不安気に話した後、車を道路の脇(わき)に寄(よ)せました。他にも二台ほど外国人ジャーナリストを乗せた車が停車していました。

車を降(お)りてみると、検問所の兵士の脇で、外国のニュース通信社のスタッフが地面に衛星(えいせい)電話を置いてダイヤルしていました。英語で声を荒(あら)げて話しています。

そのとき、最悪の事態(じたい)が起こったことがわかりました。

わたしが追っていたコンボイ、午前中にジャララバードを出発した外国人ジャーナリストたちの一行が、この先の山間で何者かに襲撃(しゅうげき)され、殺されたというのです。

「イタリア人とスペイン人のジャーナリスト数名が行方不明！　聞こえるか！　所属(しょぞく)はわからない。緊急(きんきゅう)ニュースで流してくれ！」

犯人(はんにん)はタリバンの残党(ざんとう)か、外国から入ってきてタリバンと共に戦っていた兵士たちなのか、盗賊(とうぞく)なのか、まったくわかりません。

検問所は緊張に包まれ、混乱していました。ほんの二キロメートル先ぐらいの山間の渓谷で起こった襲撃事件です。もし、犯人がタリバンの残党や兵士たちの集団だったら、そのままこの辺りまで攻めてくる可能性もあります。

「いったい何が起こったんだ⁉」と、わたしを含めてそこにいた外国人ジャーナリストたちが、電話をかけていたジャーナリストにたずねました。

「襲われた車のドライバーがさっきジャララバードに向かった。とにかく、ここは街にもどって、詳細を調べないといけない。話はそれからだ！」

とすかさず車に乗りこみ、走り出しました。留まっていたジャーナリストたちも次々と街へもどって行きます。

検問所の兵士たちは、道路を閉鎖。武器を持った若者たちを集めていました。この状況では、もうここから先には進めません。わたしたちの車も、カブールとは反対にもと来た道を猛スピードでもどりました。

こうして、わたしは一晩ジャララバードで足止めをくうことになりました。

　事件にあった一行は、八台の車でカブールに向け、列を組んで走っていました。彼らの乗った車は武装グループに止められ、犯人たちは、ジャーナリストたちを車から降ろし、銃で殺害。そのまま逃走したと言います。後に続いていた車は、すぐに現場を離れ、引き返してきました。殺されたのは、イタリア人のベテラン女性ジャーナリスト、オーストラリア人とアフガン人、それにスペイン人のカメラマン四人。遺体は、翌日発見されました。

　ジャララバードのホテルは、外国人ジャーナリストたちでごった返していました。さっそくドライバーと自警団の記者会見が行われましたが、情報はとても混乱していました。

　地元の自警団のリーダーは、安全が確認されるまで外国人はジャララバードからは出さないと、わたしたちに言いました。

（ここで止められるなんて！）

最悪の事態でした。

戦闘が止んで、荒廃したカブールには食糧も家も家族さえ失った人たちが、あふれかえって助けを求めていました。

長い間、市民はタリバン政権のもとで貧しさに耐え、迫害を受けてきました。そして、反タリバン勢力との戦闘の犠牲になっていたのです。

さらに、「タリバンはテロ組織だ」とするアメリカが、反タリバン勢力を支援してアフガニスタン国内へ空爆を始めました。タリバンはすぐさま国境を封鎖。パキスタンやイランなど周辺国も混乱を恐れて人の行き来をシャットアウトしました。おびただしい数の市民が逃げ出すこともできずに、アフガニスタン国内に残されていました。そしてみるみるうちに、アメリカの支援を受けた反タリバン勢力は首都カブールを奪い、タリバン政府を追い出したのです。

こうして戦闘は止みましたが、市民たちはすべてを失っていました。

国連機関の緊急援助に携わるわずかな数のスタッフは、いち早くカブールにもどり、活動を再開しようと準備を進めていました。

新しい政府もまだありません。食べ物や炭などの燃料、住むところも何もない中で、市民たちはいったいどうしているのか？　いち早くその姿を伝えなくてはならないと思っていたのです。

わたしは一晩悩んだ末に、翌朝、ドライバーに告げました。

「これから出発するんだ。危険なのはわかっている。だから、方法を考えてほしい。」

ドライバーは、驚いた顔で下を向いて、頭を横に振りました。彼はしばらく考えてから答えました。

「どうしても行くってのか？　正気か？　事件がおきたのと同じ場所を通って行くんだぞ。」

「そうだ。襲われないという保証はない。でも、今、兵士たちは犯人を血眼になって捜しているんだ。犯人たちだって、慎重になっているはずだろ。ふつうなら同じ事件を同じような場所で何度も起こしたら、捕まるかもしれないって考えるんじゃないか？　事件の直後の今なら、犯人たちも大胆な行動には出ないかもしれない。」

わたしは、時間がたてばまた同じ事件が起こるかもしれない。いつ安全になるかなんてだれもわからない。チャンスは今しかないと直感しました。

「あんたがそう言うなら、おれは従うよ。でも、準備が必要だ。おれたちと同じ格好をして、ほら、おれたちが使っている帽子やストールを身につけて、けっして外国人だとわからないように変装するんだ。バレたら、あんたもおれも終わりだ。」

ドライバーは、わたしの説明に納得してくれました。彼にとっても賭けでした。

わたしたちは、ジャララバードの市場で帽子と服とストール、それにカメラを包む毛布を買いこみ、彼の知り合いの家で着替えました。時間は昨日より少し早目、正午前でした。

「さあ、行こうか。」

わたしはストールを肩口に巻き、鼻のところまで隠して人目を避けるように車に乗りこみました。

昨日の検問所で兵士に止められました。殺されたジャーナリストたちの遺体は早朝、国際赤十字の救急車によって回収されたとのことでした。

ドライバーは早口で何か説明すると、アクセルをぐっと踏みこみ、走り出しました。

前方に迫る山間の渓谷。四人のジャーナリストが殺された現場です。見通しのよかった道は、左右に曲がりくねり、カーブを曲がるたびに緊張が走ります。

ここは、だれも支配できない無法地帯です。切り立った岩山をぬうように道は続いています。

（あのカーブを曲がったところに銃を持った連中が立っているかもしれない……）

そんなことを考えながら、わたしはまっすぐ前を見ていました。

ドライバーは一言もしゃべらず、猛スピードで走り続けました。わたしは、ますます深くシートに腰掛(こしか)けてストールからは眼(め)だけを出していました。

太陽の陽射(ひざ)しも届(とど)かない深い渓谷(けいこく)。人もすれ違(ちが)う車もありません。わたしたちの車の走る音だけがこだましていました。

一時間ほど走ったところで、深い渓谷が開け、前の視界(しかい)が良くなりました。

「一番危(あぶ)ないところは抜(ぬ)けたよ。もう顔を出しても大丈夫(だいじょうぶ)だ。」

と、ドライバーが口を開きました。

わたしはホッとしてフーッと息を吐(は)き、「勘(かん)が当たって良かったよ」と言いながら、ストールを首元まで下ろしました。手のひらにはじんわり汗(あせ)をかいていました。唇(くちびる)がカラカラに乾(かわ)いていることに気がつきました。帽子(ぼうし)をぬぐと、すかさずドライバーから注意を受けました。

「おっと、カブールに入るまでは安心しちゃだめだ。帽子はかぶっていてくれよ。」

2

カブール——戦争の傷(きず)あと

ジャララバードを出発して三時間半、ついにカブールの街なみが見えてきました。わたしは毛布にくるんでおいたカメラを取り出し、撮影(さつえい)の準備(じゅんび)を整えました。

市内に入ると、アメリカ軍の支援(しえん)を受けてタリバンを追い出した反タリバン同盟(どうめい)軍(ぐん)の戦車が目に飛びこんできました。三台の戦車が轟音(ごうおん)を立てて車道を走っています。すれちがいざまに、わたしが車の中からカメラを向けると、戦車の銃座(じゅうざ)で機関(きかん)銃(じゅう)を構(かま)えていた兵士は指でVサインをして笑顔をむけてきました。わたしは、撮影しながら親指を立てて、それに答えました。

　カブールに着いたわたしは、泊まる場所を探すことは後回しにして、すぐに国連難民高等弁務官事務所（ＵＮＨＣＲ）の友人を訪ねました。彼は戦闘が止んですぐに、ここカブール事務所にもどって、市民たちのために家や食べ物や生活必需品を配給する用意を進めていたのです。

「来ましたよっ」と、わたしは彼のオフィスに駆けこみました。

　友人は、わたしの姿を見ると、

「よく来たねえ！　昨日殺されたでしょ、ジャーナリスト四人が。」

と言って、やあやあと迎え入れてくれました。そして、

「コーヒー飲む？　インスタントだけど。」

とわたしにたずねると、仕事の手を休めて自らの手でふるまってくれました。

　湯気を立てて温かいお湯が分厚いカップに注がれると、いい香りが体全体をふんわりと包みこんで、一瞬ここがどこだかわからなくなるほどでした。これまで何とも思わなかったインスタント・コーヒーの香りがとてもうれしく、愛おしく感じま

した。思わず、カップのふちに鼻を寄せて、目をつぶり匂いをすいこみました。わたしは彼の笑顔を見て、初めて緊張がとけて（よかった……）と実感することができたのです。

さあ、危険をおかしてまで一途に目指してきた首都カブール。休んでなどいられません。これから国連による支援がどう始まるのか、友人から説明を受けた後、さっそく街を車で見て回りました。

カブールの街は、まるで廃墟そのものでした。街中が、何千年も前の遺跡のようです。タリバンがいなくなったとはいえ、三十年以上も続いた戦争の跡は、いたるところにはっきりと残っていました。

ところどころ爆発で地面がむき出しになった道路、

屋根、壁から崩れ落ちた無残なレンガの家々、

建物の壁の無数の弾丸のあと—大きいの、小さいの、

爆発で引きちぎられた古ぼけたトタン板、
色あせ、錆びついた鉄製のガードレール、
爆破され、部屋が丸見えになっているホテル、
爆風でひん曲がり、むき出しになった鉄骨、
水がほとんど干上がってしまったカブール川、
おびただしい数の物乞いをする男女、
道行く人々をさけるように道の端っこに力なく座りこむ手足を失った人たち。
人も物もほこりっぽく、乾ききった色の無い風景が連続しています。わたしは、瞬きすることを忘れ、その遺跡のような廃墟の街なみに目を奪われていました。

一方、わたしが想像していたよりも街はずっと賑やかでした。たくさんの車と人がせわしなく動いています。中心街は、日用品や食料を買い求める人たちでごった返していました。

前を走る車のカーステレオから、インド風の音楽が大音量で聞こえてきます。助手席の窓からぬっと出てきた長い左腕が上下に波打っています。音楽に合わせて踊っていたのです。タリバンが治めていた時、この国では音楽やテレビなどの娯楽は禁止されていました。市民は、そんな窮屈な暮らしが嫌だったのでしょう。ドライバーは指をさして笑いました。その光景を見ていたわたしまで、なんだかウキウキしてきました。

絶望と希望が入り混じった不思議な空気が、市民と街全体を覆っていました。

わたしは、カブールで一番にぎやかな地域にあるホテルに部屋を取りました。かつては高級ホテルだったと言いますが、何年も手入れされていないうえに、建物は戦闘でボロボロです。

「ここしか空いていない。」

と、あてがわれたのは幽霊の出そうな部屋でした。穴のあいた天井と壁、ところどころ絨毯がはがされた床、引きちぎられた赤いカーテン、真ん中がくぼんで傾いたベッド。小さな洗面台と鏡が付いていましたが、お湯はおろか、一滴の水も出ません。寒いというより、実にヒンヤリとした冷たい部屋でした。

ホテルの前には、わたしのような外国人ジャーナリストに雇ってもらおうと、英語の話せるアフガン人たちが待ち構えていました。どっと群がってきた人たちを追い払った後に、一人の細身の男性が、正直そうな笑顔で近づいてきました。二十四歳のハン・アガでした。

わたしは彼を通訳として雇いました。礼儀正しい態度で、文句を言わずにまず人の話を聞くところが気に入ったからです。

わたしは、カブール市内の「あたらしい住宅街」と呼ばれる地区で、ある家族を探していました。

十月二十一日の朝七時、アメリカ軍の爆撃機が、この住宅街に爆弾を落とし、三軒の家を破壊しました。住民九人が亡くなり、住むところを失った家族三十八人が避難民となりました。

被害にあったのは、一般の市民たち。アメリカの爆撃機が誤って爆弾を落としたのです。

場所を見つけることは、難しい作業ではありませんでした。なにしろ、三軒の家がこっぱみじんに壊されるほど、大きな爆発だったのです。百メートル離れた所からでも（あそこか）と見つけることができました。

爆弾はちょうど一軒の家の中庭に落ちたと聞いていました。

そこは、ちょうど、巨大な地球儀を半分に割ったような丸い形に地面がえぐられていました。

二階建ての家の壁はすべて崩れ落ち、家の中がまる見えでした。天井も床も今にも崩れ落ちそうでした。窓ガラスは一枚残らず割られ、窓枠の木は、縦に大きな割れ目がはいっていました。爆風がどれだけ激しかったか、わたしは驚きと怖れを感じながら撮影しました。

そこにグルマカイさん一家が住んでいました。

扉は爆風でゆがんでいました。まず、ハン・アガが先に戸を叩きました。

「アッサラーム　アライクム（こんにちは）」

とあいさつを交わして、家の敷地に入っていきました。わたしは、外で待っていました。初めての家、しかも爆撃を受けてショックを抱いている家の人たちと会うのですから、相手を驚かしたり、不審がらせたり、余計なショックを与えてはなりません。

「大丈夫です。話をしてもいいと言ってくれました。さあ、どうぞ。」

ハン・アガにうながされて、家に入ると十四、五歳の少年が出迎えてくれました。薄い茶色の髪をした少しヨーロッパ的な顔つきをしています。名前はハシュマッドと言いました。

「アッサラーム　アライクム（こんにちは）。シュクラン　ジャジーラ（ありがとうございます）」と、わたしがあいさつするとハシュマッドはこちらを見ることはしないで、気恥ずかしそうにうなずきながら握手をしました。

小さな中庭で、少しの間待っていると、一人の女性が出てきました。母親のグルマカイさんです。再びあいさつをしましたが、今度は握手はせずに、右手を胸にあて、お辞儀をしました。

イスラム教を信じる人たちの中には、たとえあいさつであっても軽々しく女性に

破壊されたグルマカイさん一家のとなりの家。

グルマカイさんの家。

触れてはならないと言う人がいます。イスラム教国のアフガニスタンでは、そうした慣習を大切にして行動しなければなりません。

彼らの家は、小さな一つの離れと小さな母屋が中庭を囲むように建てられていました。住んでいた母屋は空爆によって半分が壊されてしまいました。運よく残った部分も、壁には大きなひびが入り、柱や天井の木の梁も折れ曲がっています。今にもくずれそうで危ないために、一家は、小さな離れの方に住んでいます。

グルマカイさんは、八年前に夫を心臓の病で亡くしました。その後は、夫が残した自宅の一部を人に貸して、四人の子どもたちが食べられるだけのわずかな収入を得ていました。グルマカイさんは、長い間女手ひとつで子どもたちを育ててきたのです。

でも、そんな平凡でつつましい家族の生活は、ある朝突然、大きな轟音と衝撃と煙につつまれ、がれきの下に埋まりました。

中庭では少女が丸刈りの小さな子どもを抱いて、こちらを見ていました。十歳になるマリアムです。三歳になるシャボーナを、かたときも離さずに抱いていました。

マリアムは大きな爆発でショックを受けていました。顔色は青白く、笑うことも泣くことも、突然訪ねてきた外国人のわたしにけげんな表情をすることもありませんでした。しばらくわたしを遠まきに眺めたあと、すうっと後ろを向いて、家の中に入っていきました。まるで、言葉も感情も失ってしまったかのように……。

グルマカイさんとハシュマッドに導かれて、家の中に入りました。

真四角の箱のような部屋には、アフガンの普通の家にある赤い絨毯が敷かれていました。家具と呼べるものは一切ありません。その部屋でグルマカイさんとハシュマッドに話を聞きました。マリアムはシャボーナを抱っこして、部屋の入り口にかけてある大きな布のすき間からのぞいています。

「隣の家の中庭に爆弾が落とされた時のようすを詳しく聞かせていただきたいので

マリアムとシャボーナ。

す。家族全員がここにいたのですか?」

わたしは、彼(かれ)らが心を開いて話してくれるように、ゆっくりとたずねました。

「ええ、わたしと下の娘(むすめ)二人は家の中にいました。爆弾(ばくだん)は、お隣(となり)だけでなくわたしたちの家にも、すぐ裏(うら)の家にも落とされました。

前に住んでいた離(はな)れの方の家は半分以上崩(くず)れて、その家にあったものはすべてダメになってしまいました。」

グルマカイさんの声は、あまりにも小さくて弱々しく、眼(め)は一切の光を失い、まるで病人でした。

「そのとき、息子が死にました…。長男のサルダールです。がれきの下から一度は助け出されたのですが…。わたしの目の前で亡(な)くなりました。」

わたしの方の声も力をなくしました。

「彼は亡くなったのですか…。あなた方は?」

「わたしはがれきの下に閉(と)じこめられました。大した怪我(けが)もありませんでした。それは神様のおかげです。」

と、グルマカイさんは答えました。

「何時くらいに爆発があったのですか？」

「ちょうど朝ごはんを食べる時、七時か八時でした。家族で一緒に食べようとしていた時でした。サルダールは家のすぐ外にいたのです。ハシュマッドは近くに出かけていました。」

わたしは、だまってうなずいていました。グルマカイさんはとぎれとぎれに、話を進めていきます。

「そのとき、何が起こったのか、わかりませんでした。突然、家はほこりと煙でいっぱいになったんです。ドアもガラスも全部壊れました。外に出ると、サルダールがわたしの名前を叫ぶ声が聞こえました。息子のもとへ駆けていって、抱き寄せました。息子は顔を私の肩に乗せていましたが、一度血をはいて、息をしなくなって…やがて動かなくなりました。」

わたしは、だまっていました。ほんの十秒ほどの時間が、何十分にも思えるほど、と言うより、時間の流れそのものを感じることができませんでした。長い沈黙のあと、わたしは「アイム　ソーリー（お気の毒です、スミマセン）」と言いました。

「それからどうなったのですか？」

「家の周りは人でいっぱいになっていました。他の人はわたしの子どもたちを病院に連れて行きました。わたしも行きました。病院からもどった時には、隣近所のみなさんが荷物をがれきの下から引っぱり出したり、亡くなった人たちの遺体を掘り起こしたりしていました。どれも遺体は砂で真っ白でした。」

ハシュマッドが話し始めました。

「その時はまだタリバンの兵士がいたので、さわぐと何をされるかわかりませんでした。銃を持った兵士たちが集まって来て、『早くこの死体を片づけろ』と命令しました。最初は、彼らも遺体を車や荷車に乗せたりするのを手伝っていましたが、すぐに立ち去って行きました。兄が死んだのは、戦争のせいだよ。その後、すぐに戦争は終わった。あれは最後の空爆だったんだ。」

確かに、この辺ではそれが最後の空爆でした。それも誤爆だったのです。

いつの間にか、部屋の入り口からのぞいていたマリアムが、シャボーナといっしょに部屋に中に入って来て、グルマカイさんの隣に小さく座っていました。

「夜は寝られますか？　気分は大丈夫ですか？」

と、わたしはグルマカイさんにたずねました。

「朝になると、あの時の感覚がよみがえってきます。あまりよく眠れません。夜中に、空爆の夢を見たりして目を覚ますこともあります。サルダールを殺されてから、今日で四十日になります……。働き者で、いつもわたしたち家族を想ってくれて、とっても優しい子でした。」

と答えた母親の横で、マリアムが小さな声で言いました。

「お兄ちゃんは、わたしたちのために働いてくれてた……」

「この子は、あの日以来、一瞬たりともシャボーナを手放さなくなったんです。」

グルマカイさんは、視線をマリアムに向けて、そう言いました。

ひとしきり話を聞いたところで、ハン・アガがわたしにそろそろ帰った方がいい、と小さな声で言いました。

時間は午後二時近くになっていました。ちょうどお昼ご飯の時間です。食事は、近所の人たちがおたがいに分け合ってなんとか食いつないでいるような状況ですから、彼らは夕ご飯は取りません。遅いお昼ご飯を食べ、次の朝まで何も口にしないと言います。

ハン・アガはそれを知っていて、わたしたちがいるとわたしたちの分まで用意しなくてはならないと気を使うだろうから、その前に帰ろうというのでした。市民たちの食べ物がほとんどない中で、グルマカイさん一家に無理をさせてはいけないという適切な判断でした。

「また来ます。今度は大きいカメラで撮影やインタビューをさせてもらいたいと思っています。協力してくださいますか？」

と、わたしがたずねると、グルマカイさんもハシュマッドもうなずいてくれました。

3

兄さんは、もういない

グルマカイさんは、たいせつに育ててきた息子を失いました。亡くなった長男のサルダールさんは二十二歳でした。

この二、三年、サルダールさんは果物を屋台で売って、家計を支えてきました。夢は、小さなお店を持つことだったと言います。

彼は、爆撃によって崩れたレンガとコンクリートと乾いた泥の下敷きになり、この世を去りました。

わたしは舗装されていない道を車に揺られながら、頭の中で、とめどなく考えていました。

（彼は、死ぬ瞬間何を思ったのだろう？　家族のことだろうか？　仕事のことだろうか？　それとも戦争への恨みや疑問だろうか？）と。

次の日、カメラを持ってグルマカイさん一家を再び訪ねました。この日は、近くの屋台でリンゴやオレンジ、それにお米を三キロほど買っておみやげに持って行きました。

前の日と同じように、ハシュマッドが迎えてくれました。彼にお土産を渡すと表情が和らぎました。マリアムはシャボーナを抱っこして、ハシュマッドの横に立っていました。

「はい、どうぞ。オレンジは好き？」

と、わたしがたずねると、マリアムはにっこりとうなずきました。

同じ部屋でインタビューをして、家の壊れ具合や隣の家にある爆弾の跡も撮影しました。

「息子さんの写真はありますか？」と聞くと、グルマカイさんは首を振りました。すべてがれきの下に埋まってしまったと言うのです。ハシュマッドが少し考えこんでから、気がついたように部屋の隅っこに重ねてあったカバンの中から一枚の写真を取り出しました。

「ああ、これは空爆にあう二日くらい前に、近所の友達と撮った写真です。息子が稼いだお金で初めて撮った写真です。もうすぐ戦争が終わる、そうなったら、働き者の優しい女性と結婚して、家族みんなで力を合わせて、新しい生活を作っていきたいんだ。そのためのお見合い写真だよ、と笑って見せてくれたんです。」

グルマカイさんは、そう言って写真をしばらく静かにじっと見つめていました。そして、視線をふっと窓の外に向けたかと思うと、その場に膝からくずれ、倒れてしまいました。

マリアムが井戸の水を持ってきました。

どのくらい時間がたったか、わかりません。

目を覚ましたグルマカイさんは立ちあがって、ゆっくりと歩き出し、わたしを半分以上崩れ落ちた離れの家に案内してくれました。

「息子の持っていたものが、こちらの家に置いてありますから。」

そして、見てもらいたいものがあると言って、黒い布を丸めたものを木の箱から取り出しました。

それは、茶色の革に似せたビニール生地の、丈の長いベストでした。

もうほとんど洋服の形をとどめていないほど、ズタズタに引き裂かれています。

「写真で着ているものと同じです。」

グルマカイさんの声は、いくぶん荒く硬くなっていました。

「この服はがれきの下から引っぱり出しました。服はちぎれてしまったので拾い集めました。他には何も……。ハンカチと靴以外は見つかりませんでした。靴は片方だけしか見つからなかった。このサンダルがそれです。もう一方のサンダルは、いくら探しても見つかりませんでした。爆風で吹き飛ばされてしまったのかもしれません。」

わたしは、両手に茶色のボロ布とサンダルを一つだけ持ったグルマカイさんの姿をただだまって無心に撮影しました。

「家族思いの息子が、なぜ、死ななければならなかったのか？　わたしにはいくら考えても何もわからないんです。」

と、グルマカイさんは震える声で言いました。毎日毎日、自分自身の心にたずねていると言います。

わたしは前の日に考えたことを、また思い出しました。（彼は、死ぬ瞬間何を思ったのだろう？　家族のことだろうか？　仕事のことだろうか？　それとも戦争への恨みや疑問だろうか？）と。

いくら考えても、やはり答えは見つかりませんでした。

ハシュマッドにサルダールさんの遺体が埋められた墓地に連れて行ってもらうことにしました。墓地は、街はずれの小高い山にあります。山肌に立てられたおびただしい数の木の枝。その先端には、緑色の布が縫い付けられ、バタバタと音を立てて激しい風になびいています。緑色は、イスラム教を象徴する色です。

戦争で犠牲になった人たちを「殉教者」（イスラム教の神アラーの神聖なるしもべ）になったといたみ、こうして緑の旗や布を死者の墓のもとに立てているのです。

地面が、人の形に盛り上げられた墓地。大きいのも小さいのもあります。

ハシュマッドはその中をぬうように歩いていきます。

ちょうど埋葬を終えた家族とすれちがいました。女性たちは胸からしぼり出すような叫びで、うっうっと泣いていました。

「ここだよ。」

サルダールのお墓も他と同じように人の形に土が盛られていました。その周りは親指の先ほどの大きさの石で囲われています。頭の方には、とがった石が埋めこまれていました。

わたしたちは、イスラム教のやり方でお祈りを捧げました。

「これからは、君がお母さんと妹たちを支えていかなくてはならないんだね。」

わたしは、ハシュマッドにたずねました。

「まだ先のことはわからない。仕事をしなくてはならないということはわかるのだけれど…兄さんは、ぼくを働かせずに学校に行くよう言っていましたから。でも、ぼくたちの生活費を稼いでくれていた兄さんは、もういないんだ。兄さんが死んでしまうなんて。あまりにも突然だったよ…。」

ハシュマッドは、自分に言い聞かせるように言いました。

「お母さんは、『なぜ、サルダールが死ななければならなかったのか？　毎日考えている』と言っていたよ。ハシュマッド、君はどう思う？」

わたしはそうたずねて、じっと彼の顔を見つめました。すると、彼は強く投げやりな声で答えました。

「将来のことなんか、わかりっこない！　なにを考えればいいというんですか？　学校に行けば、だれかが生活費をくれるんですか？　仕方がないから学校には行けない。こっちを選べば、あっちがダメになる。あっちを選べば、こっちがダメになるんだ。兄さんの死をどう考えればいいかって？　殉教者になったんだよ！　それ以外もう何も言うことはないよ！」

　家族の生活を支える責任が、彼の上にずっしりと重くのしかかっていました。

　その時期ちょうど、国連ではカブール各地で食べ物や料理や暖房に使う木炭、毛布や生活用水に使うポリタンクなどを市民に配給する準備を進めているところでした。グルマカイさん一家は、精神的なショックに加え、生活の糧も失って弱り切っていました。

（支援がなかったら、彼らはこれからとても暮らしていけない）

わたしは強く感じました。

マイナス二十度にもなるカブールの冬は、すぐそこまで迫っていました。

4 戦争で失ったもの

それから三か月後、厳しい冬を越えた二月の終わり、わたしは雪どけあとのカブールにいました。

戦争は終わりましたが、再び戦闘が起こらないように世界各国の軍隊が参加して平和を保つための軍（平和維持軍）がつくられ、アフガニスタンで活動していました。

首都のカブールは、人も車も物も急に増えて、うるさいほどにぎやかになっていました。だれもが体を動かし、忙しくしていました。お店やレストランの数も種類も増え、どこも繁盛していました。いろいろな色で描かれた手書きの看板も通りの風景を明るくしていました。もちろん、タクシーは黄色です。

街の中心にある市場は夜の十時頃まで買い物をする人たちでにぎわっています。こうばしい匂いを立てるポップコーン、カセット店から流れるポップな音楽。お茶の葉を売る店の店主に、売れ行きはどうですかと聞くと、

「今が一番いい売れ行きさ。とにかく街にたくさんの人たちが帰ってきたからね。地方からも来るし、外国から買いに来る連中もいるんだから。」

と、ホクホクした笑顔で答えました。

わたしにとって、こんなに明るいカブールは初めてでした。

アフガニスタンは、明らかに戦争直後の何もない絶望的で陰気な雰囲気から、自由を手に入れ、明るく立ち直っていこうとする空気がいっぱいに満ちてきていました。

これまで戦闘を避けて、外国に逃げていた難民と呼ばれる人たちもどんどん帰っ

て来ました。

国連難民高等弁務官事務所（ＵＮＨＣＲ）によると、外国からもどってきた難民の数は、すでに百五十万人以上です。戦後一年でもどってくるだろうと予測していた人数をあっという間に上回ってしまったのです。日本でいえば、ちょうど神戸の人たちが丸ごと、四か月ほどで移動したことになります。

わたしは、外国にいた難民たちがどうやってもどってくるのか、取材に行きました。カブールから車で三十分、干ばつで砂漠になった広大な田園地帯に、まるで月面基地のような巨大なテントが見えてきました。その隣には数えきれないほどのバスやトラックが並んで駐車していました。

この「プリチャクリ配給センター」は、もどってきた難民たちにとって自分の国で新しい生活を始める第一歩になる場所です。

センターでは、アフガニスタン全土に埋まっている地雷に関する安全講習、健康診断や病気の診療、子どもたちへの予防接種などを行ないます。また、故郷までの

交通費と、小麦やプラスチックシートなど、故郷(こきょう)ですぐに暮(く)らせるように最低限(さいていげん)の

生活用品を難民(なんみん)たちに手渡(てわた)します。このセンターを一日に一万人の人たちが通って

行きます。

配給を行うテントのゲート前には、開門前からもどってきた難民たちが人だかり

を作って、今か今かと待っていました。男の人たちは、口々に、

「とにかく、本当にうれしい！　仕事をどうするかっていう不安もあるし、前に住

んでいた家もどうなっているのかわからない。でも、平和になった今この時、おれ

は自分の国のために働きたいんだ。」

と興奮(こうふん)しながら答えます。

配給センターの出口には、両替(りょうがえ)の市場が自然にできていました。パキスタンのル

ピー、イランのリヤル、アメリカのドル、イギリスのポンドなど—ちなみに、日本

の円はありませんでした—をアフガニスタンの通貨アフガニに両替していました。

もどってくる難民たちを相手に、もうビジネスを始めているというアフガン人の

配給センターの前に集まる難民たち。

車に家財道具をつみあげていく。

たくましい商魂には驚きました。

難民たちを乗せたバスやトラックは、ぎゅうぎゅうの人間とバスの屋根いっぱいに積まれたものすごい数の家財道具一式とともに、つぎつぎに目的地へと出発して行きます。

このように、急にたくさんの難民たちが、津波が押しよせるように、国になだれこんでくることは、三十年間も続いた戦争が終わって間もないアフガニスタンにとって、大きく重い負担になりました。食べ物も少なく、仕事もなく、干ばつで農地は荒れ果てたまま、人が住む家もまだまだ少なすぎました。もどってきた難民たちを受け入れる環境が整っていなかったのです。

そして、お金を持つ人とまったく何も持たない人の生活レベルがはっきりと分かれてしまったのです。外国で暮らしてもどってきた難民たちの中には、ある程度のお金や財産を持って帰ってくる人たちがいます。それを元手に新しい生活を始めることができるのです。外国に逃げだして難民になった人たちは三百万人とも四百万人とも言われています。

一方、外国へ逃げていた難民の人たちとは別に、戦争中、ずっと国内で生活していた人たちがいます。彼らの暮らしはけっして楽ではありませんでした。長く続いた戦争は農地を破壊して、何も育たない土地に変えてしまいました。さらに、干ばつなど厳しい自然災害を受けて、生まれ育った土地を手放し、国内をさまよい歩いていました。外国の援助もほとんど受けられず、農業もできず、暮らしを立ち直らせていくことができないままです。

他の国に避難してもどってきた人たちと、アフガニスタン国内で暮らし続けた人たち……この間に生活の格差が生まれ始めていました。

グルマカイさん一家の住む誤爆を受けた地区の辺りにも人がもどって来て、活気のある空気が感じられました。誤爆を受けて住むところを失い、避難していた人たちも帰り、家の修理工事を始めていました。

でも、グルマカイさん一家の生活は何も変わっていませんでした。国連やＮＧＯの援助で、冬をなんとか乗り越えることはできましたが、働き手だった長男を亡くして現金収入のあてがない暮らしは続いていました。近所の同じような母子家庭に一部屋を貸して、その家賃が唯一の収入になっていました。ここ数か月、生活はじわりじわりと苦しさを増してきていました。

十五歳のハシュマッドは、まだ無職でした。

「探しても、コネがなければ雇ってくれるところはないよ。」

と、うなだれてばかりいます。何かをしようと思っても、何からどう始めればいいのか、方法が分からない。（家族を支えなくては）という思いだけが空回りして、いら立っていました。

戦後のカブールでは、ボロボロになった建物や道路の建設工事がいたるところで行われています。工事現場の仕事はたくさんあります。でも、その仕事の数よりも仕事を求めている人たちの方がはるかに多くなっていました。

　ハシュマッドも近所に住む工事現場の監督に頼んで、登録してもらったものの、日雇い仕事のため、ほとんどすぐに働き盛りの大人たちに持っていかれてしまいます。競争率の高い今のカブールで職にありつくには、人を押しのけてでも仕事を得る肉体的なパワーとたくましさ—図々しさかも—を身につけていなければなりませんでした。

　これまで働いたことのない十五歳のハシュマッドには、まだ無理でした。

「前に会った時と今と、何か変わった？」とわたしは聞いてみました。

　ハシュマッドは苦笑いをして、

「自分が変わったかどうかって？　そうだなあ、わかりませんけど、どうですか？」

と、逆におどけた感じでわたしにたずねました。そして、言葉をつづけました。

「何も変わっていません。兄が死んだ悲しみだけが残っています。仕事も紹介してもらえないし……いつになるかわからないって。」

グルマカイさん一家は、誤爆事件を起こしたアメリカに補償を求めるデモにも参加したと言います。欧米のＮＧＯや人権団体が犠牲者や市民に呼びかけて行われた抗議集会でした。でも、グルマカイさん一家は生活費として五ドル（およそ七百円）をもらっただけで、他には何も補償は受けられませんでした。

ハシュマッドは、あきらめたように、そして半ば投げ捨てるように言いました。

「戦争だったんだから、アメリカの人たちの中でもきっと家族をなくした人たちもいるでしょう。家族を失ったのは同じさ。でも、アメリカとアフガニスタンはちがい過ぎます。彼らはぼくらほど貧しくはないでしょう。ぼくたちにはお金も補償もなにもないんです。」

わたしは、自分が責められているような気がしました。

「平和になったと思うかい？」

「ええ、今は平和だよ。タリバンがいた時にはあまりよくわからなかったけれど、たしかに今は平和だということが分かります。でも、ぼくたちの生活は苦しいままだ。何も変わっちゃいない。それどころか、ぼくは仕事をしなければならないから、学校に行くことはもうできない。平和っていったい何なんですか？　平和になって得したと感じることはないです。」

と、ハシュマッドが答えると、わたしたちの脇で話を聞いていた彼の友人がカメラの前にいきなりわってはいりました。

「おれたちは配給なんていらない。必要なのは、金だよ、金！　それ以外は役立たずさ！　あんたは、おれらに色々聞いて、それで金をくれるのかい？　金をくれないのなら、おれたちにとって何の得にもならないんだよ！」

一息にそう叫ぶと、ハシュマッドの腕をとって、二人はカメラの前から立ち去ってしまいました。

わたしは、ふうっとため息をつきました。（自分が彼の立場だったら、同じことを言っていたかもしれないな）と思ったからです。

太陽は高く頭の上にさしかかって来ていました、わたしは、中庭でお米をといでいたグルマカイさんに話しかけ、インタビューをお願いしました。

「以前と何か変わりましたか？　良くなったこととか、悪くなったこととか？」

わたしは、ハシュマッドにしたのと同じ質問(しつもん)をしました。

「この気持ちを何と言ったらいいのか、わかりませんが……今は少し落ち着きました。息子の死を受け入れられるようになったというか……。」

答えはとぎれとぎれですが、以前よりも張(は)りのある声です。

「タリバンがいなくなって、自由に動けるようになりましたし、田舎(いなか)に行けるようになりましたから、たまに小麦や米を買いに行くことができるようになりました。でも、いつもいつも毎日食べ物をどうするかと考えていますし、この先どうなるのだろうと考えると、もう何もかも嫌(いや)になります。こんな時に、息子が生きていてくれたらって思うんです。そうすると、悲しみがこみ上げてきてしまって……。」

悲しみをこらえ、語るグルマカイさん。

「誤爆をしたアメリカを恨んでいますか？」

と、わたしは前の時に聞けなかった質問をしました。

「だれにも文句を言うつもりはありません、アメリカに対しても、だれにも……。ただ、アメリカにはわたしたちを助けてほしい。わたしの息子はまちがって落とされた爆弾で殺されたんです。そのことを認めてわたしたちを助けないというなら、わたしはけっして彼らを許しません！　隣も裏の家族も同じように、家族を失った人間なんです。だれに責任があるかは、わたしたちにはわからないことなんです！」

　グルマカイさんが体の奥から押し出したような声で答えるのを聞いて、わたしは彼女の心の中にある想いをもうたずねることはありませんでした。

　これはグルマカイさんが、爆撃を受けた直後から自分自身に問い続けてきた『家族思いの息子が、なぜ、死ななければならなかったのか？』という問いに対する、彼女なりの答えだったのです。

5
マリアムの笑顔

そんな一家の中で、十歳のマリアムのわたしに対する態度は、今回大きく変わりました。車が家の前に着いた時、彼女はシャボーナの手を取りながら、近所の友達と遊んでいました。車を降りたわたしの姿を確認すると、すぐに笑顔で近づいてきて、彼女自身が家の扉を開け、わたしを引っ張って招き入れてくれたのです。珍しい外国人を一目見ようと群がってくる友人たちを追い払って、ドアをギギギッ、バタンッと勢いよく──というより、無理やりに閉めました。そして、わたしを見上げてニコッと大きくほほ笑みました。

マリアムは、一家の中でいち早く笑顔を取りもどしていました。わたしは、彼女の思いがけない歓迎ぶりに単純な喜びを感じましたが、彼女が近所の子たちをしかりつける勢いと何かたくらみがあるような笑顔に少し戸惑いました。

わたしには彼女の笑顔に少しだけ、思い当たることがありました。

この春、アフガニスタンの復興は大きな一歩を踏み出そうとしていました。学校の再開です。三十年以上も戦争をしていたアフガニスタンでは、学校や教育制度はわたしたちが考える教育よりもずっと古いままのものでした。つまり、何十年も前からまともな教育や学校のシステムはなくなっていたのです。

前に、タリバンがアフガニスタンを治めていた時は、イスラム教を自分たちの都合のいいように解釈して、「女の子が学校に行くことはいけないことだ」と禁止していました。そのタリバンがいなくなって、ようやくマリアムのような女の子も学校に行けるようになりました。

そこで、アフガニスタンの新しい政府と、子どもたちのために活動をしている国連児童基金（ユニセフ）は、〝バック・トゥ・スクール・キャンペーン（学校にもどろうキャンペーン！）〟というプロジェクトをアフガニスタン全土で進めようとしていました。

閉鎖されていた学校を再開して、四百万人以上の子どもたちを学校へもどすという気が遠くなるようなプロジェクトです。カブール郊外の倉庫には、巨大なコンテナが運ばれ、文房具や学校の備品などが次々運びこまれていました。各学校に配られて先生や生徒たちが使うスクールキット（中身は、ホチキス、定規、画びょうやメモなど）は、一日に三千から四千セット作られていました。

生徒の数は実際には想像をはるかに超えるのは明らかでした。これまで子どもの数すら正確に記録されていない状態だったのですから。新しい国作りは始まったばかりで、やらなくてはいけないことは山ほどあります。その中でも子どもたちへ教育を与えることは、真っ先に手をつけなくてはならないことの一つなのです。

街のいたる所に、ユニセフのカバンを肩からかけた男の子と女の子が両手を高く上げて走っている絵と、ダリ語とパシュトゥ語（アフガニスタンで使われている語）で書かれた〝バック・トゥ・スクール（学校にもどろう！）〟というスローガンが掲げられました。大きなスピーカーで宣伝する車にはピエロの格好をしたイタリアのNGOが乗りこみ、街かどで人形劇をしたり、チラシを配ったりしていました。

　マリアムの住む住宅街でもそんな光景がたくさん見られました。

　学校—それがいったいどんなところなのか、はっきりとわかっている人たちは、教育を受けたことのある一部の人たちだけ。

大人も子どもも、とにかく興味津々でした。

マリアムも同じでした。近所の友だちと学校に行きたい、学校に行ったら本―教科書のこと―やノートや鉛筆がもらえると聞いていました。

でも、母親のグルマカイさんは反対していました。制服も何も持っていないのに学校には行かせられない、それにきっとお金を払わなくてはならないと考えていました。そんなお金はうちにはないよ、とマリアムは母親から言われていたのです。

わたしは、グルマカイさんとマリアムに言いました。

「お金はかかりませんよ。ユニセフという団体は子どものために支援をしている大きな組織です。すべての子どもたちが学校に行けるように準備をしています。学校に行けば、文房具も配られるはずです。」

グルマカイさんは、一度も学校に行ったことがありません。信じられないような表情で、どうすればいいのかとたずねてきました。

てください。」

「とにかく家から一番近い小学校に行って、学校の先生に聞いて入学登録をしてき

「でも、制服(せいふく)はどうすれば？　うちには買う余裕(よゆう)はありませんし……。」

と心配するグルマカイさんに、制服が必要とは聞いていないから、きちんとした服を着ていけば大丈夫(だいじょうぶ)と説明しました。

わたしは、マリアムの何かたくらみがあるような笑顔の意味がはっきりとわかりました。彼女(かのじょ)は、自分が学校に行かせてもらえるように、わたしに何かして欲(ほ)しかったのです。反対するグルマカイさんを説得したり、学校へ行くための制服を買ってくれたりしてほしいと期待していたのでした。

三月二十三日、いよいよ新学期・入学式を迎(むか)えました。

朝、ひと足早くマリアムの通う学校に行って、校長先生たちに取材のあいさつをしました。入学式は九時から。次々と女の子たちがお母さんに連れられて登校して

きました。

　少し不安になったわたしは、グルマカイさんの家に行ってみることにしました。すると、マリアムはシャボーナと一緒に中庭でぼんやりと土いじりをしているではありませんか！

（やっぱり！）

　グルマカイさんに大丈夫ですと説明はしたものの、彼女の表情を見ていて、（当日になったら、また心配して、マリアムを学校に行かせないのではないか）となんとなく予感していたのです。

　さいわい、入学登録をしたことを示す紙は持っていました。でも、とにかく今日行かないとそれもむだになってしまうかもしれない。なにせ初めてのことだし、人数が多いのですから、入学式の当日にきちんと行かないと学校の生徒名簿にのせてもらえない可能性があります。わたしは通訳のハン・アガに頼んで、そのことを必死に説明してもらいました。

話し合っている間、マリアムは母親とわたしたちをじっと見上げていました。そして、グルマカイさんはようやく話を理解してくれました。マリアムの顔がパッと明るくなりました。マリアムに何も入っていないカバンを持たせて、不安そうな表情で家から送り出したグルマカイさん。時間は、八時四十分を回っていました。

わたしたちはそれを見届けてから、車で学校に先回りをして、正門の前で二人が来るのを待っていました。マリアムの家から学校までは歩いて七分ほどです。でも、十五分たってもマリアムたちは現れません。

（あぁ、途中で不安になって引き返しちゃったのかなぁ）と、わたしはカメラを構えながらも、そわそわしていても立っていられませんでした。

わたしは（神さま、どうか彼女たちを導いてください！）と本気で祈りました。

「来た！」

ハン・アガが叫びました。次の瞬間、彼は二人のところへ猛ダッシュ！　入学式はあと少しで始まりそうでした。

　マリアムは隣の女の子と手をつないで、時どき立ち止まりながらゆっくり歩いてきました。女の子たちの入学式を見ようと集まってくる男の子に突き飛ばされながら、眉間にしわを寄せて（わたしたち、本当に行って大丈夫なのかなあ……）と言わんばかりの厳しい顔をしています。

　ハン・アガが彼女たちに声をかけ、わたしの方を見て指さしました。

　わたしは、彼女たちに手を振って、こっちへいらっしゃいと大きく合図をしました。

「カモーン、早く早く！」と、思わず叫んでいました。二人が正門をくぐりました。マリアムは無事、入学式に間に合ったのです。

さて、女の子たちにとって初めての入学式。ざっと千人以上の女の子たちが広い校庭に渦のように集まっていました。先生たちは、きちんと列を作って並ぶように大声を張り上げますが、なにせみんな学校に行くのは生まれて初めてのことなので、『列を作って並ぶ』ということがまったくできません。痛ーい、押さないでー、ワーワーキャーキャーと叫び声が飛びかって大混乱です。たちまち押しくらまんじゅうになってしまいました。撮影しているわたしも二、三回マリアムを見失うほど。一番前の女の子たちは後ろから押されてどんどん前に出てきてしまいます。男の先生が細い木の枝で、生徒たちの足をピシッピシッと叩いては、なんとか列を整えていきました。

ゆたかなひげを蓄えた校長先生が、スピーカーで話し始めると大混乱は収まって行きました。そして、イスラム教のお祈りを全員で捧げます。その姿を引率してきたお母さんたちが見守っています。

わたしは、初めは女の子たちが体全体でぶつかり合うド迫力に押されて、あっけにとられていましたが、ファインダー越しに一人ひとりの表情を見つめているうちに、本当に良かったという気持ちでいっぱいになりました。みんな、なんと生き生きとした表情をしていることか！

式がひと通り終わると、先生たちが子どもたちを年齢ごとにその場でクラス分けして、それぞれ教室に連れて入って行きました。校舎は、建物こそ新しいですが、教室の窓枠には窓ガラスが一枚も入っていないし、机やいすもありません。子どもたちは、ひんやりとしたコンクリートの床に腰をおろしました。

教室の中から子どもたちのざわつきが聞こえてきて、殺風景な建物はようやく学校らしくなりました。

いよいよ、子どもたちのお待ちかね、ノートや鉛筆、消しゴムなど文房具が配られる時がやってきました。

一人ずつ名前が呼ばれます。すると、黒板の前に出て行って先生から文房具一式を受け取ります。座って待っている子たちは、拍手をします。先生から文房具を手渡される時の子どもたちは、緊張していて表情が固まっています。ありがとうございますなどと言葉を発する子もいません。喜んで笑顔を見せると思ってカメラを構えていたのですが、当てが外れました。

（よく考えてみれば、この子たちにとっては生まれて初めて手にする真新しいノートや鉛筆なんだから、当たり前だよなあ）と、わたしはあらためて思いました。

でも、先生の手からパッと急いで受け取り、自分の座っていたところにもどってまじまじとそれらをながめる彼女たちからは、やわらかくおだやかな笑顔がこぼれていました。

一方、マリアムもその友達もいつまで待っても教室には入れてもらえませんでした。自分のクラスがどこかすらも教えてもらえなかったのです。

入学式に集まった千人以上の女の子たち。

校長先生（右）と教頭先生（左）。

彼女たちは文房具が配られるのを教室の外からただ眺めているしかありませんでした。他の子どもたちも窓枠のところに大勢群がって、文房具が配られるのを見ていました。マリアムは今にも転びそうなほど背伸びをしながら（わたしはいつもらえるのだろう？）という期待と不安が入り混じった複雑な眼をして、文房具が配られるようすをじいっと見つめていました。

あっという間に文房具の配布は終わってしまいました。そして、先生たちは教室を出ていき、生徒たちも立ち上がって帰り始めました。

「あれっ、配布はもう終わりですか？　外に残っている子どもたちがまだ大勢いますけれど……」

わたしは、校長先生にたずねました。

「ええ、今日はもう終わりです。単なるセレモニーですから。残りは後日やります。」と答えて、さっさと校長室へもどってしまいました。

結局、教室に入れたのは入学式に集まった千人以上の子どものうち、たった六十

文房具を受け取る子ども。

教室の外からじっと見つめる
子どもたち。

人ほど。二クラスだけでした。子どもの数が多すぎたために、クラス分けをして、教室に入れることができなかったのです。

わたしはてっきりこの日にみんなに配られるものと思っていたので、文房具をもらえなかった子どもたちのことを考えてがっかりしました。特に、マリアムには不安な気持ちで送り出した母親のグルマカイさんに報告できるように、家に持って帰ってもらいたかったのです。

わたしは校長先生にインタビューをお願いしました。

「今日はおめでとうございます。この町の女の子はほとんど来ているように思えるほど大勢いましたね？」

「そうです。もともとこの学校は定員が六百人です。今日はその倍の生徒がやってきました。ある程度予想はしていましたが、想像をはるかに超えていました。最初に計画していた、クラス分けすらできませんでした。」

「ノートや鉛筆も配れませんでしたね？」

「ええ、子どもたちとその母親は、今日の入学式でもらえると思っていたようですが、当初よりも人数が増えたためにまだ半分以上も数が足りません。先生が授業で使う地図や定規などもまだ届いていない状況です。ご覧いただいたように、机もいすもないのですから、今日はセレモニーとして配布するのがやっとでした。」

タリバン政権の前から学校の教師をしていた校長先生は、正直に答えてくれました。タリバンは、女の子が学校に行くことを禁じていました。こんなに大勢の女の子たちが一気に学校につめかけたことはありませんでした。先生たちもまた、初めて体験することばかりでとまどっていたのです。

お昼近くになって、陽射しがきつくなってきていました。マリアムと友人は校庭の木陰でわたしを待っていてくれました。

「なんか……残念だったね」と、わたしを見上げる眼を見て日本語でつぶやきました。

「始業式でもらえるって他の子も言っていたのに……うそつきだ。」

〝うそつき〟とは、わたしに言っているのかもしれないなと感じながら、校長先生が言っていたことをそのまま伝えました。こういう時は、通訳に頼るしかありません。彼自身も四歳と一歳の娘をもち、欧米式の教育をきちんと受けさせたいと願っているアフガン人の一人です。

彼は、マリアムに言い聞かせるように説明してくれました。

わたしたちはだれもいない教室を少し見て回り、その途中の階段に座って、マリアムに話を聞くことにしました。

「初めての学校は、どうだった？」

「今日は文房具やノートがもらえると思っていたのに、数が足りなくてもらえなくてとても残念でした。もらえた子もいたのに、がっかりです。」

「でもね、学校に来ていれば近いうちにもらえるかもしれないじゃないか。だから、明日も明後日もきちんと来なくちゃだめだよ。チャンスはいつ来るか、わからないからね。」

とにかく学校に行かなくてはどんどん取り残されていってしまいます。

「学校では、一番何を勉強したいの？」

「ダリ語を勉強して、本をたくさん読みたい。」

マリアムは目をパッと輝かせて、身を乗り出して答えました。

「そっか！　じゃあ大人になったらどんな仕事をしたいの？」

彼女はすぐに答えました。

「先生になりたい！　女の先生はカッコいい。わたしもそうなりたい！　今日はがっかりしたけど、わたしは勉強したいの。だから、絶対あきらめないでまた来ようと思います。」

彼女の力強い答えに、わたしは救われた気がしました。

「じゃあ、帰ろうか」と、わたしたちは立ち上がり、砂ぼこりで白くなったお尻をパンパンとはたいて階段を下りて行きました。

6

学ぶことをあきらめない

初夏。

わたしは、アフガニスタン南部の街カンダハールにいました。街中ではなく、アメリカ軍の基地の中にいました。アメリカ軍によるタリバン兵の掃討作戦を取材するためです。

カンダハール空港には五千人以上のアメリカ兵が駐留を続けていました。到着ロビーの外にも中にも戦闘の跡が生々しく残っていました。

滑走路には兵士と物資を運ぶ大きな輸送機が昼夜を通して、ひっきりなしに着陸しては発進していきます。この日、アフガニスタン東部で戦闘を行なってきたおよそ二百人の兵士が、わらわらと飛行機から下りてきました。

彼らは沖縄やクウェートの基地で三年以上の訓練経験を持つ精鋭部隊ということでした。兵士を下ろしたばかりの輸送機に、新しく戦闘に出て行く兵士たちが一列になって次々と乗りこんで行きます。

村に出ていくアメリカ軍の車に同乗し、捜索パトロールについていくこともありました。アメリカ軍の兵士は、入り組んだ村の奥まで徒歩で入って行きます。珍しがっていっしょについてくる子どもたちがたくさんいます。

（アメリカ兵は狙われているってのに、ここで襲われたら、子どもたちも全員まきぞえで死んでしまう！）

わたしは、緊張で汗びっしょりになりながらカメラを回していました。この日は、ひとつの村をおよそ四時間かけて見て回りました。

パトロールが終わると、兵士たちが大きなプラスティックのバケツのような容器からキャンディーやガムを取り出し、村の子どもたちに配りました。子どもたちに

パトロールをするアメリカ軍の兵士。

アメリカ軍の兵士を追う子ども。

とっては、これまで味わったことのないアメリカの味です。

わたしはこの光景を複雑な思いで見ていました。第二次世界大戦で日本が負けてアメリカに占領された時のようすと同じ光景だったからです。

カンダハール空港のメインロビーだったホールの壁には、アメリカ本土にいる家族から兵士たちへ送られた、おびただしい数の励ましの手紙や寄せ書きが貼られたまま残されていました。〝I LOVE YOU〟という文字が、窓ガラスの割れたロビーを吹き抜ける風に揺られていました。

アフガニスタンでの戦争は、まだ終わっていません。

わたしはカンダハールから首都カブールへ向かう車の中で、マリアムのことが気になっていました。

（きちんと学校に行っているだろうか？　もうだいぶ字も書けるようになったんだろうなあ。少しは本も読めるようになったのかな。さすがにもうノートや文房具はきちんともらえているんだろうな。教科書の方はどうなっているんだろうか？）など、とめどなく色々なことを考えていました。

翌日の朝、さっそくマリアムの通う学校を訪ねてみることにしました。

女の子たちの登校姿が朝の日常風景になったカブール。

（ほんの少し前、いったいだれがこんなアフガニスタンの平和な風景を想像できただろうか）

わたしは、朝のさわやかな風を感じていました。

学校に着くと校長室に行って、あの立派なひげを蓄えた校長先生にあいさつをしました。

「相変わらず生徒は増える一方ですが、今はようやく落ち着きました。どうぞ自由に見学していってください。」

と、とても親切に対応してくれました。

建物の中でも外でも、あちこちで授業が行なわれていました。生徒数は一万二千人、三十ある教室はどこもいっぱいでした。一つの教室を二つのクラスで半分ずつ使ったり、階段の踊り場でも授業を行なっていました。

外では、強い陽射しを避けて校舎の日陰に身を寄せるように、数え切れない子どもたちが勉強していました。施設がとても足りず、朝・昼・午後と三回交代で生徒を分けて授業を行なっています。

しかも、外国からもどってきた難民の子どもたちを受け入れる必要もあり、生徒の数はさらに増え続けているのです。

教科書を持っているのは、少し前は二人に一人でしたが、生徒の人数が増えているので、今は三人に一人の割合になったといいます。クラスが増えれば、先生の数も増やさなくてはなりません。

もうとにかく「足らない」ということずくめでした。

「あれ？　マリアムがいない？」

わたしは彼女の学年――一年生か二年生――の教室を全部探してみました。でも、彼女の姿はどこにはもありませんでした。

わたしの中に不安と心配の混じった感情がむくむく盛り上がってきました。

同じ歳ごろの子どもたちが学校で勉強している頃、マリアムは、家にいました。遊び相手だったシャボーナは一人でずいぶん歩くようになって、中庭で遊んでいます。枯れ木だった中庭の木は今ではずいぶん大きくなって緑色の葉をたくさんつけていました。

マリアムは暇そうに大きなあくびをしながら、何をするわけでもなく木に寄りかかってぼんやりしていました。

グルマカイさんは、わたしたちを居間に迎え入れてチャイ（アフガン・ティー）を出してくれました。あのとてもあまいお茶です。わたしは、さっそくマリアムが学校へ行かなくなったわけを聞くことにしました。

校舎の外で行われている授業。

屋外の授業で、地面に座り、熱心にノートをとる女の子たち。

「ある日、マリアムが学校から帰ってくるなり、先生から『ここは年齢の高い女の子が勉強するための学校だから、小さい子は来てはいけない』と言われたというんです。」

わたしは驚いて、

「えっ？　そんなはずはありませんよ。こちらに来る前にさっき寄って見学してきましたけれど、彼女と同じくらいか、もっと小さい女の子たちもたくさん来ていましたよ。」

と説明しました。

「でも、それ以来、マリアムは学校に行かなくなってしまいました。ですから、今は、学校の先生が午後にやっている塾に行かせるようにしました。」

グルマカイさん自身も疑問を感じていましたが、じかに学校を訪問して先生に相談したり、事実を確認したりはしていませんでした。

（これが日本だったら、親が学校に電話して確認したり、他のお母さんに相談したりできるだろうな）と思いました。でも、アフガニスタンでは戦争が三十年間も続いたために、学校に行ったことのない親がほとんどでした。グルマカイさんもそうです。学校というものには入学と卒業があるとか、成績表（せいせきひょう）というものがあるとか、勉強しないとどうなるのかなど、ほとんどわかっていません。しかも、タリバン政権（せいけん）の時に女の子は学校に行くことを厳（きび）しく禁（きん）じられていたために、先生と呼（よ）ばれる人たちと話したことも付き合ったこともなかったのです。

「今行かせている塾も、最初は無料だったのですが、来月からお金を持って来てくださいと言われてしまって……そうなったら行くのを止めさせるしかありません。」

そう言って、視線（しせん）を床（ゆか）に落としたグルマカイさん。わたしもなんだか力が抜（ぬ）けそうになりましたが、だんだん（なぜなんだ？）という思いが強く激（はげ）しくわき上がってきました。

鈴（すず）なりに重なった子どもたちがもみくちゃになった入学式からおよそ半年。国連や政府（せいふ）の教育省は、学校で問題がおこっているかどうかをきちんと調査（ちょうさ）する責任（せきにん）があると思いました。

（こんな問題で一人の女の子が学校に行けなくなるなんて！）

なんだか腹が立ってきました。

わたしはマリアムに詳しく話を聞くことにしました。

「先生が、『わたしはもう小さい子は教えません』と言ったので、学校に行くのをやめたの。確かに、『今日で小さい子を教えるのは終わりです。明日は来てはいけない』と言ったんです。」

と、彼女は確信を持って答えました。

先生の言った言葉の表現を、彼女は誤解したのではないかというのがわたしの考えでした。通訳には何度も「それって、どういう意味だろう？」とたずねましたが、彼も理解できずにお手上げでした。

「校長先生が言ったの？」とわたしがたずねると、

「いいえ、わたしたちの先生が言った。女の先生。」

「それでみんな行かなくなったの？」

「いいえ、わたしとわたしの友だち二人だけが行くのを止めました。その子はこのあいだ引っ越してしまったけれど……。」

「そっか。で、学校へは何日くらい行ったの？」

「十五日か十六日間くらいかな。」

「たったそれだけ？」

「それだけ、です。」

　マリアムといくら話しても、どうも（これだ！）と思う原因はわかりませんでした。

　わたしは、気になっていたノートや文房具、教科書を彼女が受け取ったかどうかをたずねました。

「ノートと文房具はもらいました。でも、教科書はもらえませんでした。となりの席の子は教科書ももらいました。先生は生徒を一人ずつ前に呼んで渡しました。もらえなかったのは、わたしだけじゃありません。十人くらいもらえませんでした。先生は『来週には渡せるから』と言ったけど、くれなかった。他の子はもらえたのに、またわたしはもらえなかったと思ってとても悲しかった。」

　マリアムは下を向いてしまいました。

「学校にもどりたい？」

「今行っている塾の方が学校よりもたくさん勉強できるから好きです。先生もきちんと教えてくれるし、教室も広いです。でも、今度行く時には月謝を持ってくるように言われてしまったの。お母さんに言ったら、『わかった』と言ってくれたけれど……うちにはお金がないから。」

　マリアムは、また下を向いてしまいました。

「で、どうしたいんだい？」

「もしもどれるなら、学校にもどりたい。友だちもできたし。そう、両方とも通いたいんです。午前中は学校に行って、午後は塾。いっぱい勉強できるから！」

　わたしは、ちょっと意地悪かなーと思いながらも、たずねてみました。

「そんなに勉強したいのなら、今までどのくらい勉強してきたか、見せてくれるかい？」

　マリアムはうなずいて、カバンから厚さも大きさも不揃いのノートを七冊取り出しました。そして、ハイッとわたしにめくって見せました。

　わたしは思わず息をのみました。どのノートにもびっしりとダリ語が書かれています。

（これは、マジで勉強している！）

　わたしは七冊の不揃いのノートを一ページずつ、じっくり見ていきました。一字一字、丁寧に練習しているのがわかりました。

「よくわかったよ。学校に行っていなくてもしっかり勉強していたんだね。じゃあ、明日の朝、八時半に学校に来てくれるかな。校長先生にいっしょに頼んでみよう。そのノートを全部持ってきて、絶対に忘れないでね。」

彼女は、何が何だかわからないようでした。

ちょうどハシュマッドが外から帰って来ました。ハシュマッドも、マリアムが学校に行かなくなった理由はわかっています。通訳が、マリアムを学校にもどすことができるかもしれないと説明して、ハシュマッドの意見を聞いていました。すると、彼は、

「妹を学校に行かせたいと思う。大切なことだからさ。もどれるものなら、また学校にもどしてやりたいさ。でも、もう長いこと行っていないんだよ。もどるなんて、そんなこと本当に許してもらえるのかい？」

長男が亡くなってから一家の主は今、男であるハシュマッドです。でも、まだ少し投げやりなところがあって、その点が、彼をとても頼りない感じに見せていました。

わたしと通訳は二人がかりで、明日の朝、八時半にマリアムを必ず学校に連れてくるように、口を酸っぱくして何度も言い、確認しました。

「必ずだよ、必ず。」

ハシュマッドは、うん、うんとうなずきました。

グルマカイさんの家を後にする時、中庭に使い古した屋台が置いてありました。ハシュマッドが市場から借りてきたものだと言います。それを知ったわたしと通訳は、「ほおっ」と、顔を見合わせました。

わたしは、その足ですぐに国連児童基金（ユニセフ）の事務所に向かいました。そこで友人を訪ねて、マリアムのケースを一部始終、すべて話しました。そして、学校にもどれるように、いっしょに校長先生のところへ行って欲しいと頼みました。彼女はこころよく引き受けてくれました。

次の日の朝、八時十五分、わたしたちは学校を訪ねました。朝の職員室は、授業の準備をする女性の先生でごった返していました。校長室のドアをノックすると、ひげの校長先生が親しく迎えてくれました。ちょうど女性の教頭先生とミーティングをしているところでした。

わたしは、これは好都合だと思い、マリアムの事を話しました。ユニセフの友人は、校長先生のひげが立派だとほめたりしながら、

「マリアムが来たらいっしょに話を聞いてみましょう。」

と言って、生徒の数や先生の数、教科書やノート、先生たちが授業で使う道具——チョークや黒板など——が足りているかどうかなどをたずねていました。

八時半になりました。

校長室から出て正門の辺りを見回すと——いた！——ハシュマッドとマリアムが木陰に座っていました。わたしは、早くいらっしゃいと手招きしました。

「ノートは全部持ってきたね、マリアム」と聞くと、彼女は大きくうなずきました。

わたしはハシュマッドとマリアムを連れて、校長室に入って行きました。

校長先生と教頭先生、それにわたしたちを前にして、二人は緊張した顔でいすに

腰かけました。マリアムは、ノートの束を胸に抱えこんで、落ち着かない様子でキョロキョロしています。一方、ハシュマッドは今まで見たことがないほど落ち着いていました。

ユニセフの友人は、マリアムの横に座って、

「あなたがマリアムね。なんで学校に来なくなっちゃったの？」

とたずねました。

マリアムがひと息に事情を説明しました。すると、女性の教頭先生が、

「それは、家族に責任があります。なぜ学校に相談に来なかったのですか？」

と意見を言いました。その声の勢いが強かったからか、マリアムはシュンと下を向いて肩を落としてしまいました。

教頭先生は、腕組みをして続けました。

「この学校にはたくさん生徒がいて、みんな一生懸命勉強しているんですよ。あなたは長い間学校を休んだのだから、勉強も遅れているでしょう。あなただけを特別

扱いすることはできないのよ。」

　マリアムもハシュマッドも何も言えなくなってしまったので、わたしは、母親のグルマカイさんがどうしたら良いのかわからず、相談に来られなかったと理由を説明しました。また、アメリカ軍の爆弾で兄を亡くしてから、家族は食べるのに精いっぱいだったことも話しました。

　でも、教頭先生は、

「わたしたちだって、毎日簡単には生きて行けません。働いて、自分でなんとかしていかないと暮らしていけないんです。」

と言って、まるで同意を求めるように、校長先生、わたし、ユニセフの友人の顔を交互に見ました。

　校長先生が、口を開きました。

「何にせよ、長い間無断で欠席していたのだから、この学校にもどることは認められないいな。」

校長室の空気が重くなっていました。

わたしは、マリアムに言いました。

「君は、休んでいた間、家で勉強していたんだろう。自分がどのくらい勉強して、どのくらいのレベルなのか、校長先生に見てもらったらどうかな。」

マリアムは、一瞬のためらいもなく立ち上がると、スス ッと校長先生の前に歩いて行って机の上にノートを広げて説明をしはじめました。

「学校にもどっても困らないように、家で勉強していたんです。」

すると、校長先生の目つきが変わり、

「むうっ」

と、うなりました。

マリアムは、校長先生とおでこがひっつきそうになるくらい近づいて、まるで将棋の真剣勝負をしているようです。熱心に、どんどんノートをめくって説明していきます。なんと堂々とした表情なのでしょう。わたしもユニセフの友人も目をまるくしました。

教頭先生もそのノートを手にとって見ながら、しきりにうなずいています。

「よくわかりました。もういいですよ。」

校長先生の言葉で、マリアムはノートを抱えて席にもどりました。

一瞬の沈黙ののちに、校長先生は口を開きました。

「無断で欠席したことはよくありません。普通なら退学です。でも、今回はあなたの努力を評価して、長く病気で休んでいたということにします。明日から学校にもどってよろしい！」

マリアムは緊張したまま校長先生を見つめていましたが、わたしが向けたカメラに小さくニコッと笑いました。

「よく勉強していますね。感心です。」

と、教頭先生もやさしい笑顔でマリアムに声をかけました。校長先生はハシュマッドを呼び寄せて、しっかりと家族の面倒をみるように、そして、わからないことが

校長先生にノートを見せるマリアム。

緊張しながら、校長先生の言葉を待つマリアム。

あったら学校に来て自分に相談するように言い聞かせました。
その後、マリアムの担任の先生が呼ばれて、『もう小さい子は教えません』『今日で小さい子を教えるのは終わりです。明日は来てはいけない』と言った本当の目的を説明してくれました。『小さい子』というのは、『勉強もしないでいつまでも甘えてばかりいる子』という意味でした。つまり、授業を受けるなら、自分に厳しくしっかりと勉強しなくてはいけないと言ったつもりだったのです。

「まあ、よかったわね。でも、マリアムのようなケースはまだまだあると思うな。」

ユニセフの友人は、何か気がついたようにそう言って学校をあとにしました。
ハシュマッドがわたしにお礼を言ってきました。

「ありがとうございます。あなた方が助けてくれなかったら、絶対にできないことでした。」

彼の口からそんな言葉を聞いたのは、初めてのことでした。わたしは、彼の手を両手で握って握手をしました。

「今度は君の番だね、ハシュマッド。昨日、屋台を見かけたよ。お兄さんと同じようにあれで果物や野菜を売るんだね。がんばって。」

わたしは、マリアムにこれからどうしたいかとたずねました。すると、彼女は迷わず、

「ノートと教科書、それに新しい鉛筆が欲しい。ねえ、お兄ちゃん。」

と答えました。

さっそくせがまれた兄は、聞こえないふりをしてそっぽを向きました。

翌日、学校に行ってみました。マリアムが来ていないかもしれないという不安はもうありませんでした。

教室に入ると、一番後ろの席に座って一生懸命に黒板の文字を書き写していました。わたしのカメラを気にすることもなく、まっすぐに先生の方を向いていました。

教室には初夏の強い陽射しが射しこんでいます。カーテンも扇風機もない教室の中

は、子どもたちの熱気でムッとしています。マリアムが書こうとして下を向くたびに、鼻のてっぺんから汗がノートにしたたり落ちそうになっていました。

わたしはその後もアフガニスタンを何度も訪れています。学校を見に行くとノートや鉛筆などの文房具、教科書などはほとんどの生徒が持っています。一見、学校に行って勉強することが当たり前になってきたように見えました。

でも、少し地方に行くと、まだまだ学校の数や先生の数が足りません。男の子も女の子も、石の転がるごつごつした地面にビニールシートを敷いただけの青空学級で勉強しています。校舎はないけれど、机やいすはあるなんてところもあります。

家が貧しくて、学校に行けない、あるいは行くことを止めてしまった子どもたちは以前よりも増えていると言います。

ある日、首都カブール郊外に貧しい人たちが住む集落を取材に行きました。道路も舗装されていません。山のふもとには、地面を掘った土を盛って作った黄土色の土壁が縦横無尽に広がっていました。

わたしは一瞬、かつて取材したパキスタンのアフガン難民キャンプにもどったのか？　と思いました。住民のほとんどはパキスタンからもどったアフガン難民。故郷にもどって来て、三年ほどになる人たちです。

ビビン、ビン、ビン…と、黄土色の土壁に囲まれた家の中庭で、綿の糸をはじく音が、風の音に混じって響いていました。十三歳の姉と五歳になる女の子が絨毯を織っている音です。赤、青、黄、紫などに染められた糸を縦に張られた生成りの糸にてなれた手つきで編みこんでいきます。

父親は戦争で右足を失いました。毎日、一生懸命、日雇いの仕事を探しに行きますが、なかなか働き口がありません。この家の家計を支えているのは妻と娘二人。絨毯を作って外国に売る業者から織り機を借りて、下請け作業をしているのです。

業者は定期的に家庭を訪れて、織りあがった布を持っていきます。賃金は一メートルあたり三十アフガニ、およそ八十円。

二人の女の子は、朝、近くの井戸から水を汲みに行き、掃除、洗濯、料理、後片付けまで、母親の家事を手伝います。そして、絨毯織りの仕事を暗くなるまでやっています。彼女たちが、学校に行く時間はとてもありません。

家から十五分も歩けば学校があるのに、彼女たちは、行くことができないのです。

また、こころない事件が起きています。

通学中の女の子たちが襲われたり、学校が爆破されたりする事件が増えてきています。

女の子が学校に通うことを、いまだに認めない人たちのしわざです。彼らは、女性は家にいるべきだ、女の子が学校に行くのはイスラム教の教えに反していると言うのです。(でも、そんなことはイスラム教の教えが記してあるコーランという本には、どこにも書いていません。)

これは、かつてアフガニスタンを支配したタリバンと同じ考え方なのです。

でも、女の子たちは学ぶことをけっしてあきらめようとはしません。

夕方、訪れた集落の広いゴミ捨て場で、小学六年生くらいの男の子と三年生くらいの女の子を見かけました。左手に汚れた大きなビニール袋、右手に木の棒を持ってゴミをあさっています。二人は黙々と、ゴミの中から紙やビニール、鉄くずなどを拾っていました。

女の子が、足を止め、腰をかがめて何かを拾い上げました。

本です。

女の子は腰をかがめたままの姿勢で、その本を開いて、身じろぎせずにじいっと読んでいます。

太陽はもう少しで沈んでしまいそうでした。夕焼けのゆるい光に照らされたゴミ野原の中で、女の子が本を読む姿はまぶしいほど輝いていました。

(神さま、どうぞ彼女を導いてあげてください!)

わたしは、そう願って眼を閉じました。

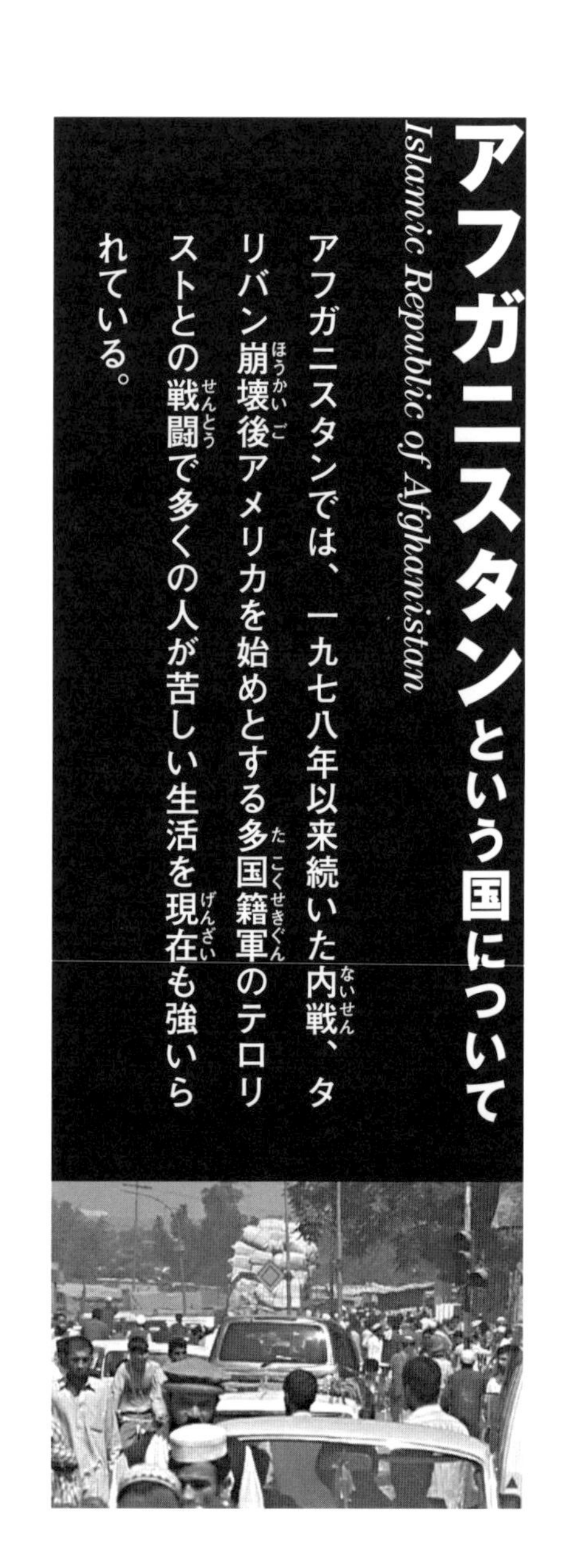

アフガニスタンという国について

Islamic Republic of Afghanistan

アフガニスタンでは、一九七八年以来続いた内戦、タリバン崩壊後アメリカを始めとする多国籍軍のテロリストとの戦闘で多くの人が苦しい生活を現在も強いられている。

面　積	六十五万二千二百二十五平方キロメートル（日本の約一、七倍）
人　口	約三千万人
首　都	カブール
宗　教	イスラム教
主要産業	農業

▼歴史

1747年	パシュトゥーン人によるドゥラーニー王朝が成立。
1838年	第一次アフガン戦争
1880年	第二次アフガン戦争。英国の保護領となる。
1919年	第三次アフガン戦争。独立を達成する。
1973年7月	クーデターにより国王を追放。共和制となる。
1978年4月	軍部クーデターにより人民民主党政権成立。
1979年	ソ連による軍事介入によってカルマル政権成立。
1989年	ソ連軍撤退。以降、国内の武装勢力によって内戦が継続。

1994年	タリバンが勢力を伸ばす。
1996年	タリバンが首都カブールを制圧。
1999年	タリバンが国土のおよそ9割を支配。
2001年9月11日	米国同時多発テロ勃発。
2001年10月	米・英等によるアル・カーイダおよびタリバンに対する攻撃が始まる。
2001年11月ごろ	タリバン政権の崩壊
2002年	初の大統領選挙によりカルザイ大統領が誕生。

あとがきにかえて
アフガニスタンの昨日と今日、そして明日

マリアムとハシュマッド、グルマカイさん一家の取材は、二〇〇一年秋から、のべ一年近く続きました。

その間、悲劇の犠牲者となってきた多くの一般市民を取材する一方で、日本をはじめとする国際社会がどのようにアフガニスタンを援助してきたか、わたしは間近で見てきました。取材を重ねるたびに、感じてきたことは、日本を含めた国際社会が、「いったいだれのために援助しているのか？」という率直な疑問です。

今の首都カブールの発展ぶりには、だれもが目をみはるでしょう。

街の中心にそびえ建つ、地下一階地上七階建て全面ガラス張りのショッピング・センターには、ホテルも併設されています。地上二階までは高級ブティックが入り、三階以上は高級ホテル。内部はまぶしいほどの明るさで、ショーウィンドウはまばゆいばかりです。エスカレーターや巨大なテレビモニターの付いたエレベーター、スターバックス・コーヒーに似たカフェでは、最新の携帯電話を手にビジネスマンや若い男女が笑顔で楽しそうに話をしてい

ます。

難民として、外国で住んでいる間に身に付けた仕事のノウハウや人脈を活かして、したたかにビジネスを成功させているアフガン人たちがいる一方で、かつての難民キャンプとほとんど変わらない貧しい暮らしを続ける人たちもいます。

都市では失業者があふれ、地方の農地のほとんどは相変わらず荒れたままです。

そうした貧しい人たちに、食べ物や不法な仕事を与えて、タリバンは復活してきています。
特に、地方ではかなりの数の村を支配するなど、勢力を伸ばして来ています。

活動を活発化させるタリバンと、各国の軍隊から組織されている国際治安支援部隊（ＩＳＡＦ）の戦闘が激しさを増しています。

タリバンをテロリストとして追い続けるアメリカ軍は、アフガニスタンの平和や安定を守るどころか、兵士の数を増やして、戦闘を拡大しています。

戦闘に巻きこまれ、子どもや女性をふくむ一般市民の犠牲者は、増え続けています。グルマカイさん一家がうけたような誤爆は、あとを絶ちません。

アフガニスタンのカルザイ大統領は市民にこう訴えます。

「あなた方の悲しみはわたしの悲しみです。政府はテロリストを全滅させるために働きます。わたしたちの子どもたちのために本当の平和を手にいれなくてはなりません。」

〝本当の平和〟とは、いったいどんなものなのでしょうか？

市民の日常生活にとって、タリバンの復活やアメリカや政治家の言う「テロとの戦い」よりも、もっと深刻なのは、殺人や窃盗などの一般的な犯罪が急増していることです。

でも、今のアフガニスタンでは、まだ法律が整っていないために、まともな裁判をすることができません。犯人を捕まえてもきちんと調査して、罰則を与えることもできません。テロリストとして容疑をかけられ、アメリカ軍の刑務所に入れられるケースが数多くあります。

戦争ですべてを失った人たちとその国が、もとの生活を取りもどして、どのような国をつくっていこうとしているのか―取材を続けてきたわたしには、いまだに、どうしても見えてこないのです。

最近、アフガニスタンとパキスタンの国境トゥルカムに近い大都市ペシャワールを、再び訪れました。戦後ひたすら首都カブールを目指したあの時以来です。

今回は、復活したタリバンとパキスタン軍の戦闘地域から逃げだしてきたトライバル・エリアの人たちを取材するためでした。

彼らは、かつてアフガン難民キャンプだったところに、身を寄せ合って避難生活をおくっていました。

遠くから、広漠とした平地を白くペンキで塗ったような風景が見えてきました。地平線まで届きそうなほど白いテントが続いています。わたしは、驚きました。全く予想していなかった規模の国内避難民キャンプでした。

おびただしい数の人、人、人。頭の中は、この規模をどう取材するか、限られた時間でどこに焦点を置くか――避難民に何を聞くのか、画としてはどんなショットが必要か――わたしの頭の中は、フル回転しました。

管理するパキスタン政府の責任者の話を聞いて案内を受けてから、撮影をしたかったのですが、あまりに広大なこの場所を数時間で取材するには、もう撮りながら行くしかないと思いました。

それに、この種の取材には、当局の許可が必要ですが、また取材の許可を取ろうとしたら、想像も予測もできない時間と手間がかかります。

難民キャンプの状況はすぐに変わる可能性もあります。取材チャンスは今回きりだなと覚悟を決めました。

およそ七千家族、一家族七人計算と言うからおよそ四万九千人が暮らしていることになります。さらに、一日およそ六十家族ずつ増えていて、新しいキャンプをすでに増設する予定だと言います。

とにかく重要なのは避難民の話を聞くことです。アフガニスタンとパキスタンの国境で今いったい何が起こっているのか、逃げてきた彼らこそが証言者なのだから。

一見、設備の整った難民キャンプですが、避難民はもともと山や谷で自然とともに素朴な、昔からの伝統的な生活を送っていた人たちです。

まったく緑のない平地のテントで暮らすことなど想像もできなかったことでしょう。水はけを良くするために人工的に敷き詰められた小石の上を歩く生活など、初めての経験です。そもそも彼らはほとんどの人がふだん裸足で暮らしています。

生活習慣も大きく違いますし、相当なストレスがたまっています。苦しむのはいつも、こうした何の関係もない一般の人たちなのです。

わたしは、なぜ、この戦争と避難民の存在が日本であまり知られていないのか、大きなショックを受けました。

わたしたちは、単なる事件事故のニュース、アメリカ軍の動きばかりに気を取られすぎているのではないか？

「対テロ戦争」「テロとの戦い」とわたしたちがまるで記号のように使う言葉の裏側で、こんなにたくさんの人たちの生活がズタズタに破壊されていることを、知らないでいたのです、あるいは知らせずにいたのです。自分は、いかに盲目的だったかと激しく自分を責めました。

アフガニスタンの戦争は、まったく終わっていません。それどころか、世界を巻きこんで広がっています。

その中で、唯一の希望は子どもたちです。マリアムのような子どもたちが、アフガニスタンにはたくさんいます。

わたしたちにできることは、さまざまな方法で、彼らに手をさしのべ続けることなのではないか、そう思います。

アフガニスタンとパキスタンでの取材は、アフガン人、パキスタン人の通訳、ドライバー、友人たちの助けなくしては、一つも実現できなかったことと思います。自らも危険をおかしながら、手伝ってくれた彼らとそのご家族に心から感謝しています。いつも皆さまの安全と健康を祈っていることをお伝えしたい気持ちでいっぱいです。

また、長期間の密着取材中、独りで心が折れてしまいそうなわたしを、ご家族全員で受け入れてくださった国連職員の山本芳幸氏に、この場をかりて厚くお礼を申し上げます。

そして、わたしの取材を、よりジャーナルな視点から見つめて指南をくださったＮＨＫの国際部の記者の皆様、番組ディレクター、プロデューサーの方々に、あらためて感謝いたします。

特に、豊富な知識と経験、磨き上げられた技術で優れた番組を世に送り出してくださった、七沢潔氏、安斎尚志氏、そして、永田浩三氏には、格別の感謝の言葉を申し上げます。

この本を出すにあたって、汐文社の村角あゆみ氏にはこれまで以上に背中を強く押していただき、大変励まされました。ありがとうございました。

最後に、心から愛する娘と、芸術や文化を受け入れる心を育ませている彼女の母親に、「ありがとう」と言いたいと思います。

後藤健二（ごとう・けんじ）
ジャーナリスト。1967年宮城県仙台市生まれ。番組制作会社をへて、1996年に映像通信社インデペンデント・プレスを設立。戦争や難民にかかわる問題や苦しみの中で暮らす子どもたちにカメラを向け、世界各地を取材している。NHK『週刊こどもニュース』『クローズアップ現代』『ETV特集』などの番組でその姿を伝えている。『ダイヤモンドより平和がほしい』（汐文社）で、産経児童出版文化賞を受賞。他、著書に『エイズの村に生まれて』『ルワンダの祈り』（共に汐文社）「ようこそボクらの学校へ」（NHK出版）がある。

カバーデザイン：オーク

もしも学校に行けたら

—アフガニスタンの少女・マリアムの物語—

2009年12月　初版第1刷発行
2015年 2月　初版第7刷発行

著	後藤　健二
発行者	政門　一芳
発行所	株式会社 汐文社
	東京都千代田区富士見2-13-3
	角川第二本社ビル2F　〒102-0071
	電話 03（6862）5200　FAX 03（6862）5202
	http://www.choubunsha.com
印刷	新星社西川印刷株式会社
製本	東京美術紙工協業組合

NDC 916　ISBN978-4-8113-8611-9